D1488807

ACTES SUD - PAPIERS
Fondateur : Christian Dupeyron
Editorial : Claire David

Cette collection est éditée avec le soutien de la

Cet ouvrage est édité avec l'aide du Centre national du livre.

LE PASSAGE DE L'*INDIANA*

Normand Chaurette

LE PASSAGE DE L'*INDIANA*
de Normand Chaurette
a été créé le 10 juillet 1996
au Tinel de la Chartreuse de Villeneuve-lez-Avignon
dans le cadre de la cinquantième édition du Festival d'Avignon

Mise en scène : Denis Marleau
Scénographie : Michel Goulet
Costumes : Lyse Bédard
Musique : Denis Gougeon
Éclairages : Guy Simard

Distribution

Frank Caroubier : Jean-Louis Millette
Dawn Grisanti : Julie McClemens
Eric Mahoney : Marc Béland
Martina North : Andrée Lachapelle

A Denis Marleau

PERSONNAGES

Eric Mahoney
Dawn Grisanti, son éditrice
Martina North
Frank Caroubier, son éditeur

FRANK CAROUBIER *(lisant).* « Ils n'étaient pas moralement responsables de ce qu'ils avaient commis [point]. Les parents se trouvaient démunis jusqu'au plus profond de leur être face à l'intrusion de ces étrangers [virgule], hommes et femmes à la peau blanche qui prétendaient vouloir protéger les "victimes", [victimes entre guillemets, virgule], ces enfants qui constitueraient une immigration de seconde génération [point]. Leurs défenseurs parlèrent longuement entre eux d'amender le Code de Westminster et finirent par procéder à la rédaction d'une loi nécessaire et répressive bien qu'à laquelle il manquait plusieurs éléments [virgule], à commencer par l'intelligence [virgule], une sorte de connaissance et de compréhension du phénomène [point]. La meilleure preuve en est que le texte de cette loi n'invoquait aucune jurisprudence face à de tels comportements [virgule], et ceux qui devaient déterminer l'illégalité de la circoncision [virgule], de l'excision, et de toute forme de molestation reliée à des pratiques adm... »

DAWN GRISANTI. ... excision ?

FRANK CAROUBIER. ... excision ?

DAWN GRISANTI. Excision virgule ?

FRANK CAROUBIER. Pardon. « De l'excision [virgule], et de toute forme de molestation reliée à des pratiques admises dans les tribus doutaient de l'éventuel appui de Londres afin d'enrayer ce qu'ils entendaient être un crime [point]. En poussant l'argument jusqu'au bout [virgule], ils convenaient entre eux de ce que la tradition pesait sur la communauté de façon trop impérieuse pour que les aînés puissent s'y soustraire [point virgule] ; des groupes militants n'en restaient pas moins convaincus qu'ils représentaient les victimes non seulement »

DAWN GRISANTI. Victimes, sans guillemets cette fois...

FRANK CAROUBIER. Sans guillemets. « ... non seulement pour obtenir que ces enfants soient protégés mais surtout

DAWN GRISANTI. surtout

FRANK CAROUBIER. surtout

DAWN GRISANTI. oui, surtout

FRANK CAROUBIER. surtout pour que cesse ce qui n'était ni plus ni moins à leur avis qu'une atteinte intolérable à l'humanité [point]. Fallait-il pour y remédier procéder au jugement d'une culture et d'une communauté humaine [virgule], accepter qu'un crime [virgule], avec le consentement des citoyens et donc leur complicité [virgule],

DAWN GRISANTI. ... accepter qu'un crime [virgule], avec le consentement des citoyens, virgule ?

FRANK CAROUBIER. et donc leur complicité, [virgule] »... Virgule après complicité...

DAWN GRISANTI. Mais avant ?

FRANK CAROUBIER. Avant ?

DAWN GRISANTI. Après citoyens ?

FRANK CAROUBIER. Citoyens...

DAWN GRISANTI. Citoyens, virgule ?

FRANK CAROUBIER. « Crime, [virgule] »

DAWN GRISANTI. Oui. Mais après ?

FRANK CAROUBIER. Attendez... « accepter qu'un crime [virgule], ... »

DAWN GRISANTI. ... « accepter qu'un crime [virgule], avec le consentement des citoyens et donc leur complicité [virgule] », tiens, pas de virgule vous non plus...

FRANK CAROUBIER. Crime, virgule, complicité, virgule. Mais pas de virgule à concitoyens.

DAWN GRISANTI. Concitoyens ?

FRANK CAROUBIER. Je recommence. « Accepter qu'un crime [virgule], avec le consentement des citoyens et donc leur complicité [virgule], »

DAWN GRISANTI. Donc pas de virgule.

FRANK CAROUBIER. Pas de virgule.

DAWN GRISANTI. Continuez.

FRANK CAROUBIER. ...

DAWN GRISANTI. ... « se fasse sous leurs yeux [point d'interrogation] ? »

FRANK CAROUBIER. Point d'interrogation. « Devant les réticences des autorités à intervenir dans un dossier somme toute culturel [virgule], Richardson décida de se rendre à Brighton pour préparer de nouvelles stratégies [point]. »

DAWN GRISANTI. A la ligne.

FRANK CAROUBIER. Point à la ligne. « C'était un vendredi de septembre sous un ciel ravagé comme on en voit par ces fins d'après-midi où le brouillard... »

DAWN GRISANTI. « D'octobre ! »

FRANK CAROUBIER. De sep-tem-bre. N'essayez pas.

DAWN GRISANTI. Je vous jure ! Il a mis : « d'octobre » !

FRANK CAROUBIER (*comparant*). Vous avez raison.

DAWN GRISANTI. « d'octobre » !

FRANK CAROUBIER. « de septembre (ou d'octobre) où le brouillard décolore à la fois ce que l'on voit devant soi et à l'intérieur de soi [point]. »

DAWN GRISANTI. Il a mis « d'octobre » !

FRANK CAROUBIER. Un lundi, pourquoi pas !

DAWN GRISANTI. T, t, t ! Un mardi ! « Abattu [virgule], »

FRANK CAROUBIER. Pourquoi dites-vous : un mardi ?

DAWN GRISANTI. « Abattu [virgule], »

FRANK CAROUBIER. Un mardi, pourquoi ?

DAWN GRISANTI. « Abattu [virgule], »

FRANK CAROUBIER. ... « profondément dégoûté »

FRANK CAROUBIER ET DAWN GRISANTI. « par la rumeur qui n'en finissait plus d'encourager la passion populaire pour une cause aussi délicate [virgule], il sentit la pression accumulée sur lui depuis plusieurs jours se transformer en une léthargie »

DAWN GRISANTI. Parce que tout lui arrive les mardis.

FRANK CAROUBIER. ... « sous l'emprise de laquelle il s'endormit presque aussitôt [virgule], » les mardis ?

DAWN GRISANTI. ... « sans manger [virgule], »

FRANK CAROUBIER. ... « sans même se dévêtir [point, à la ligne]. Lorsqu'il rouvrit les yeux le lendemain à la première heure [virgule], ce qu'il vit au large de l'estuaire le mit dans un tel état de contemplation qu'il tressaillit comme Tobie devant l'apparition de Raphaël paré de son manteau d'albâtre [deux points] : telle une puissance qui jaillit de sa propre image [virgule], la silhouette erratique de l'*Indiana* s'imprimait à mi-chemin entre ses yeux et l'horizon [virgule], »

DAWN GRISANTI. ... « sa coque immaculée décrivant un axe pur qui [virgule], joint à la vénusté de la bruine [virgule], recevait la radiation de grands jets pavoisés d'argent [virgule], sorte de feu interstellaire *(Elle fait une courte pause, et poursuit sa lecture d'une voix plus intime, pour elle-même.)* blanc comme le cristal, froid, on eût dit la densité d'une auréole, figée autour du bâtiment, enduisant son étrave d'une carpelle de glace, confinant l'ensemble du paquebot, mâts, guis, cornes et faux-focs, à l'extrême solitude d'une femme hystérique et silencieuse, dans l'aberration de ses vestiges, ivre sur l'écume, gelée dans sa démence, pacifique dans son délire. »
Point à la ligne.
Cette femme hystérique et silencieuse aurait-elle été au nombre des passagers ?

FRANK CAROUBIER. Parlez-moi d'Eric Mahoney.

DAWN GRISANTI. C'est un écrivain.

FRANK CAROUBIER. Mais entre vous et moi ?

DAWN GRISANTI. C'est un écrivain.

FRANK CAROUBIER. Vous avez publié *Comment surmonter les épreuves ?* de Mélisande Sigouin et vous avez déclaré que c'était une écrivaine.

DAWN GRISANTI. Mais Eric Mahoney est un écrivain. Un écrivain de la pire espèce. Avec trois mots en début de phrase, il vous alerte. Vous décidez de le haïr, et ça y est, vous l'aimez. Avez-vous lu son premier roman, *La Descente du pharaon* ? Une chose inattendue, fulgurante, où l'on remarque des faiblesses, mais ce ne sont pas des faiblesses. Où l'on se dit : « C'est maladroit », tout en s'écriant : « C'est du génie ». Son œuvre est à mon avis une des plus envoûtantes que j'aie lues depuis les vingt dernières années.

FRANK CAROUBIER. C'est qu'avant cela vous ne saviez probablement pas lire.

DAWN GRISANTI. Eric Mahoney est quelqu'un qui affirme. Une pensée qui se ramifie sans jamais se démentir, chez lui la vie est primordiale, la mort est primordiale, entre les deux, ce couloir où l'on ressent le vertige,

FRANK CAROUBIER. Vertige, [virgule].

DAWN GRISANTI. Ce vertige comparable à celui qu'a dû ressentir l'armée d'Israël.

FRANK CAROUBIER. Erreur à la base. Cette armée...

DAWN GRISANTI. En s'enfonçant dans les sables...

FRANK CAROUBIER. Dans les sables boueux de la mer Rouge. Encore que l'armée d'Israël était au sol. Je regrette d'insister, mais une armée qui marche au sol n'a pas le vertige. Vous me répétez mot à mot cette ânerie que vous avez écrite au dos de la jaquette. Où j'ai surpris d'ailleurs un accent circonflexe litigieux sur, attendez...

DAWN GRISANTI. Je ne vois aucun accent circonflexe sur ce que j'ai écrit au dos de la jaquette.

FRANK CAROUBIER. Eh bien justement, il en aurait fallu un ici, sur ce qu'a *dû* ressentir l'armée d'Israël. Ce n'est pas tout de mettre un tréma à Israël, il faut aussi un accent circonflexe à *dû*. Ce n'est pas *du* beurre. C'est *dû* ressentir. Au reste, j'ai retrouvé ce texte mot à mot au dos d'un recueil de nouvelles d'Andrew Edmitt que nous avons fait paraître l'an dernier, où une malencontreuse erreur, faute de correcteur, avait été signalée par le critique de *L'Étendard*.

DAWN GRISANTI. C'est un compilateur de coquilles.

FRANK CAROUBIER. Une erreur d'orthographe n'est pas une coquille.

DAWN GRISANTI. Où voulez-vous en venir ?

FRANK CAROUBIER. Au fait qu'en copiant le texte, vous avez aussi copié l'erreur.

DAWN GRISANTI. Vous transmettrez mes excuses à l'auteur.

FRANK CAROUBIER. J'en suis l'auteur.

DAWN GRISANTI. Mais vous venez de dire que ce texte est une ânerie.

FRANK CAROUBIER. Toute chose reproduite est une ânerie.

DAWN GRISANTI. Que faites-vous de l'école flamande ? Tous ces élèves qui ont copié les maîtres ? Et Liszt après Paganini ? Le *Dies Iræ* est donc une ânerie ? Les pirates de Maria Callas, ça, des âneries ? Et les cantates de Zobrovika, copies conformes de Zimoviev ? Et le théâtre qu'on joue le soir et qu'on rejoue le lendemain ? Jules César ? Othello ? Et Hamlet ?

FRANK CAROUBIER. Vous me parliez d'Eric Mahoney.

DAWN GRISANTI. J'aime cet écrivain.

FRANK CAROUBIER. On dit qu'il est très beau, très athlétique.

DAWN GRISANTI. Et que je suis très belle, très physique. Malgré tout, je l'aime.

FRANK CAROUBIER. Il vous a parlé de Martina North ?

DAWN GRISANTI. Très peu. Il m'a dit qu'il comprenait ce qu'elle avait pu éprouver à la lecture de son roman, et qu'il était lui-même extrêmement choqué de la tournure et de la proportion des événements, mais tout cela d'un ton courtois, en tout cas, plutôt neutre.

FRANK CAROUBIER. Les journaux menacent d'écrire les pires choses à son sujet. Figurez-vous que cela pourrait nous projeter au beau milieu d'une affaire médiatique, un scandale du genre peut même nous mener devant les tribunaux.

DAWN GRISANTI. Des avocats ne vont pas ridiculiser leur profession et déranger tout l'appareil judiciaire juste pour démontrer que la terre est ronde ! Les faits parlent d'eux-mêmes, nous avons en mains tous les éléments qu'il faut pour régler ce litige entre nous.

FRANK CAROUBIER. Votre écrivain doit bien s'attendre à des représailles ?

DAWN GRISANTI. Nous pourrions négocier jusqu'à combien ?

FRANK CAROUBIER. Martina North prétend qu'elle n'ira pas en bas de huit cent mille dollars en dommages et intérêts. Soit l'équivalent des royautés que votre maison d'édition aurait versées jusqu'à présent à Eric Mahoney.

DAWN GRISANTI. Mais, question de principe, à combien consentiriez-vous ?

FRANK CAROUBIER. Pour ma part, j'ai l'intention de convaincre Martina North d'assumer l'énorme précédent que cette
affaire constitue. Elle parle de huit cent mille dollars. Moi, je
vous parle du double. Question de principe. Mettez-vous à sa
place. Comprenez qu'il s'agit d'une affaire de liberté fondamentale. Chaque exemplaire vendu de ce best-seller constitue
autant d'atteintes à sa personne. Elle appréhende le pire. Elle
voit déjà sa maison devenir la cible des reporters. Elle ne sort
plus, ne répond plus au téléphone. Elle se dit victime d'une des
pires atrocités qu'on puisse commettre.

DAWN GRISANTI. J'admets que ce doit être épouvantable
pour elle.

FRANK CAROUBIER. Il se trouve même un de ses admirateurs,
cinéaste, prêt à rédiger un scénario à partir des faits qui lui
arrivent. Donato Conte. Il a déjà investi une somme phara-
mineuse en vue de reconstituer la maquette de l'*Indiana*, un
paquebot à la coque immaculée décrivant un axe pur qui, joint
à la vénusté de la bruine, reçoit la radiation de grands jets
pavoisés d'argent, sorte de feu interstellaire, blanc comme le
cristal, froid, on dirait la densité d'une auréole, figée autour du
bâtiment, enduisant son étrave d'une carpelle de glace, confinant l'ensemble du paquebot, mâts, guis, cornes et faux-focs, à
l'extrême solitude d'une femme hystérique et silencieuse, dans
l'aberration de ses vestiges, ivre sur l'écume, gelée dans sa
démence, pacifique dans son délire. Un paquebot des années
vingt, qui aurait coulé au large du Gotland, dans la mer
Baltique.

1ᵉʳ décembre

ERIC MAHONEY. Trop de questions et trop de doutes. Nos livres sont des proies, et nos réalités, indifféremment pures face à ce « Trop », hésitent, privées d'armes. Sommes-nous venus « Trop » tôt, ou « Trop » tard ? A moins que nous ne soyons arrivés que « Trop » à l'heure ? Ce qu'on s'empresse d'appeler un scandale fait de l'écho jusqu'à l'ouest de la Susquehanna. Il est vrai que le retentissement de mon premier livre avait déjà précédé cet écho. Vous étiez fière. En me mettant au monde, vous vous mettiez au monde. Vous déjeuniez avec des banquiers. Et on vous a reçue chez des mécènes. Vous m'avez téléphoné le soir pour me dire que ces gens étaient des mécènes. Le lendemain, ou le surlendemain, vous me présentiez à un consortium où il y avait beaucoup d'amuse-gueule et beaucoup d'orgueil, vous disiez me rendre hommage mais j'ai compris que vous vouliez obtenir cette récompense d'une société pétrolière pour la publication d'une œuvre faisant mieux connaître les pays de l'Opep. Vous avez reçu les cinq millions nécessaires...

DAWN GRISANTI. Cinq mille.

ERIC MAHONEY. ... à combler votre déficit et grâce à cette somme vous avez payé vos fournisseurs et votre photo a paru parmi les dix femmes les plus prospères de l'année, est-ce que je me trompe ? Vous preniez des somnifères en décembre l'an dernier parce que vous aviez fondé votre maison d'édition sur un roc d'illusions qui n'en finissaient plus de s'effriter. Un an plus tard, on vous invite à Montréal et à Francfort. De grandes foires où l'on vous posera des questions à mon sujet. Vos yeux regardent ici et là. Il y a ici de l'art et là de l'argent. Je passe pour quelqu'un qui n'a pas les deux pieds sur terre mais j'entends le discours des chiffres et je me méfie de ces femmes aux cheveux blonds qui réchauffent la froideur des industries dans leurs cœurs qui ne battent que pour l'art. Neuf battements vont à l'art en général, mais le dixième, celui qui conduit l'oxygène au cerveau, où siège l'intelligence, il va à la promotion. Vous avez lancé mon premier roman, et comme si cela ne vous avait pas suffi, vous avez lancé le second. Jamais deux sans trois. Vous répéterez votre erreur, nous répétons nos erreurs, nous redéjeunerons avec le consortium, et nous leur dirons encore une fois Dieu sait quoi. Que j'ai du talent, mais que la dernière fois, des jaloux se sont acharnés contre nous.

DAWN GRISANTI. Vous croyez tout simplement que cette femme est jalouse ?

ERIC MAHONEY. J'ai reçu le prix de la Fondation In-Quarto pour mon second roman. J'estime être le seul à part vous que la chose ne rend pas jaloux. Autrefois les jurys couronnaient les auteurs établis. Autrefois, lorsqu'un auteur génial n'en était qu'à ses débuts, on lui disait : « Vous l'aurez plus tard, quand vous serez un auteur établi. » Aujourd'hui, on dit aux auteurs établis : « Vous êtes un auteur établi ; donnez la chance à ceux qui commencent. » A leur place, je serais furieux moi aussi. J'ai songé à écrire au jury de la Fondation et à lui remettre mon prix. Ce prix ne vaut rien. J'aurais bien voulu le refuser publiquement, mais je me suis souvenu que plusieurs avant moi ont fait cela et ils n'ont fait qu'accroître leur gain ; ils deviennent des héros car ils ont des opinions fortes et certains d'entre eux ont des opinions si fortes qu'ils cessent d'écrire pour devenir candidats, puis députés, et ministres, etc. Je n'ai rien contre eux mais je préfère mon opinion à la leur.

DAWN GRISANTI. Et votre opinion ?

ERIC MAHONEY. Nous vivons dans un monde où si nous n'avons pas d'opinions nous ne valons pas grand-chose.

DAWN GRISANTI. Mais votre opinion ?

ERIC MAHONEY. Sur ?

DAWN GRISANTI. Sur Martina North ?

ERIC MAHONEY. Hystérique.

DAWN GRISANTI. Mais encore ?

ERIC MAHONEY. C'est une hystérique.

DAWN GRISANTI. Pourquoi ?

ERIC MAHONEY. Tout le monde sait que c'est une hystérique.

DAWN GRISANTI. Pourquoi ?

ERIC MAHONEY. Parce qu'elle souffre d'hystérie.

DAWN GRISANTI. Vous la connaissez ?

ERIC MAHONEY. ...

DAWN GRISANTI. Comment le savez-vous ?

ERIC MAHONEY. Tout le monde vous le dira.

DAWN GRISANTI. Il suffirait de quelqu'un pour dire qu'elle est victime de sa réputation et...

ERIC MAHONEY. Il faudrait qu'ils soient légion et encore là...

DAWN GRISANTI. Vous l'avez déjà rencontrée ?

ERIC MAHONEY. Peut-être.

DAWN GRISANTI. Peut-être que oui ?

ERIC MAHONEY. Vous ? Vous l'avez déjà rencontrée ?

DAWN GRISANTI. Nous nous connaissons.

ERIC MAHONEY. Vous vous connaissez.

DAWN GRISANTI. Nous nous sommes rencontrées lors d'un congrès sur la littérature argentine, il y a deux ou trois ans. Nous étions dans le même avion et nous logions au même hôtel.

ERIC MAHONEY. Et alors ?

DAWN GRISANTI. C'est une hystérique.

FRANK CAROUBIER. Votre mémoire est phénoménale. Vous vous souvenez du nombre de perles sur l'épingle que portait Léontyne Price lors d'un récital en 1968. Vous n'aviez que six ans à l'époque. Vous pouvez citer dans l'ordre les noms de tous les empereurs. Vous savez le nombre exact de kilomètres séparant la Terre de chaque planète du cosmos. Mais vous ne vous rappelez pas avoir décidé de devenir écrivain. Vous auriez peut-être pu devenir peintre. Mais vous n'avez jamais pensé devenir écrivain. Vous avez pourtant déclaré lors d'une récente entrevue que ce métier est depuis toujours le seul qu'il vous ait jamais été possible de faire.

ERIC MAHONEY. C'est vrai, mais je ne le savais pas avant d'avoir écrit mon premier roman.

FRANK CAROUBIER. On n'écrit pas un roman comme ça, sans... sans...

ERIC MAHONEY. Sans le préméditer? Moi oui. J'ai écrit *La Descente du pharaon* en trois ou quatre jours, disons trois jours en comptant les nuits.

DAWN GRISANTI. Mais c'est un roman de plus de cinq cents pages !

ERIC MAHONEY. J'écris à la machine, ça va plus vite. Je l'ai achevé un mardi. Je vous l'ai envoyé le lendemain, et vous m'avez répondu exactement treize jours plus tard, encore un mardi. Je me souviens aussi que le lancement avait eu lieu le premier mardi d'octobre. Cela faisait trois fois de suite que le jour le plus absurde de ma vie tombait un mardi. Une sorte d'incohérence. Dans l'accumulation des mots que vous avez écrits, sans jamais regarder par-derrière, et ce durant des pages et des pages, vous croyez d'abord avoir tout dit, puis vous vous persuadez, à la relecture de certains feuillets, que vous n'avez dit que des banalités. Quelqu'un dont le métier est de se prononcer là-dessus soutient le contraire. Des gens vous ont dit du mal de cette éditrice, mais vous constatez que son intelligence est aussi stupéfiante que ses cheveux blonds. Vous la suppliez de ne pas trop encourager les ventes de votre roman. Mais c'est plus fort qu'elle. Elle vous édite, et presque aussitôt, à cause de la presse, des médias, des libraires, vous ne savez plus qui vous êtes.

FRANK CAROUBIER. Vous présentez à Grisanti un roman de plus de cinq cents pages, qu'elle publie presque sans le retravailler, vous vous attirez les louanges de la presse, vous devenez célèbre du jour au lendemain, tout ça alors que vous n'avez jamais soupçonné qu'il y avait en vous un potentiel d'écrivain ? Comprenez que cela m'embête.

ERIC MAHONEY. Et moi ? Ça m'a beaucoup embêté aussi. Je devais m'absenter de mon travail assez souvent, à cause de tous ces déjeuners, ces rencontres avec les journalistes, mes collègues et plusieurs de nos bénévoles à la Restructuration du Monde Exponentiel...

FRANK CAROUBIER. Vous dites ?

ERIC MAHONEY. A la Restructuration du Monde Exponentiel. Ils voyaient ma photo dans le journal, c'était très menaçant. Tenez, j'allais au gymnase trois fois la semaine, j'adorais ça, mais à la fin c'était intolérable. «Je vais vous raconter ce qui m'est arrivé et vous pourrez en faire un roman.» Alors que vous êtes sous la douche. J'ai compris très vite qu'on ne pouvait pas écrire des romans à succès et continuer de s'entraîner au gymnase comme les autres. Enfin, je suppose que c'est plus ou moins comme ça quand on est appelé à devenir subitement ce que l'on doit devenir ? Vous, comment avez-vous choisi de devenir éditeur ?

DAWN GRISANTI. Nous avons étudié, nous avons fait des stages, enfin tout ce qui précède.

ERIC MAHONEY. J'ai étudié, moi aussi. En théologie.

FRANK CAROUBIER. Et vous travaillez à la Restructuration du Monde Exponentiel. Qu'est-ce que la Restructuration du Monde Exponentiel ? Il y a là beaucoup de majuscules.

DAWN GRISANTI. Un organisme d'entraide.

FRANK CAROUBIER. Pourquoi l'appeler d'un nom si bizarre ?

ERIC MAHONEY. L'amour et le partage sont des valeurs exponentielles. Nous recevons tout ce qu'on veut bien nous donner et nous rendons grâce une fois la semaine.

FRANK CAROUBIER. A qui ?

ERIC MAHONEY. Je vous enverrai le dernier numéro de *L'École du dimanche*. Puis-je vous demander en quoi toutes ces questions...

FRANK CAROUBIER. Un juge voudra peut-être vous entendre sur ces points.

ERIC MAHONEY. Juge ? Donc procès ? Donc jugement ?

FRANK CAROUBIER. Nous devons tout prévoir.

ERIC MAHONEY. Attendez. Vous m'avez dit tout à l'heure qu'il n'y aurait pas de procès. Vous m'avez dit : « Martina North et moi-même allons tout faire pour éviter qu'il y ait un procès. » Et vous nous convoquez pour bien vous assurer de notre collaboration pour qu'il n'y ait pas de procès. Rien dans les journaux. Rien à la radio. Vous maintenez l'embargo : « Nous ne voulons pas de procès. » Nous ne voulons pas l'évolution d'un monstre aux yeux gris qui va s'insinuer entre nos mains jointes, allumer le volcan, déjà qu'à l'ouest de la Susquehanna, un cinéaste a droit de cité, par votre faute, sur le terrain où nous devions être seuls, il entre dans le secret, par votre faute, il pénètre et va tout révéler, le nombre de passagers à bord, la latitude et la longitude de l'endroit où le navire a fait naufrage, la couleur des yeux de chaque matelot, le détail de la coutellerie, le répertoire de l'orchestre, les menus, nous verrons tout, les bouteilles de vin, les étiquettes, les robes du soir, tout, nous verrons tout, tout ! tout ! tout !

DAWN GRISANTI. Tout ! tout ! tout ! Tout ce que j'ai bâti. Tout ce en quoi j'ai cru ! J'ai hésité, moi aussi, figurez-vous, entre les doutes et les certitudes, entre la médecine et les beaux-arts, entre la science et la magistrature. Entre le journalisme et l'enseignement. Entre l'édition scolaire et l'édition littéraire. J'ai fait de moi ce que j'ai réussi à être, devant les compromissions, avec, chaque fois, le sentiment d'avoir été pure. Dans quel désastre vous m'avez enfoncée ! Eric Mahoney, vous avez fait de moi une femme encore plus stupide que celle dont on parle dans mon dos.

ERIC MAHONEY. S'il y a un procès, il y aura forcément des gens contre moi.

DAWN GRISANTI. Nous avons dit qu'il n'y aurait pas de procès. Je ne veux plus qu'on fasse allusion à quoi que ce soit qui évoque le meurtre et la sentence. Nous n'avons tué personne. Du moins, pas encore.

ERIC MAHONEY. Je sentais ma vie prisonnière d'un sous-marin qui s'obstinait contre les zones les plus perturbées de la mer. Je me pensais noyé dans le noir et j'ai vu brusquement qu'il y avait une surface au-dessus de moi. Je suis de ces gens pour qui la paix d'esprit est un sentiment impossible. Je croyais m'être libéré de mon pharaon, mais il n'était pas mort.

DAWN GRISANTI. Votre héros, mort au bout de son sang dans son bain à la fin de votre premier roman, franchit l'étape de la résurrection et vous intitulez votre second roman *La Traversée de la mer Rouge*. Que vous achevez un mardi.

ERIC MAHONEY. Je vous jure, tout m'arrive les mardis : l'acceptation du manuscrit, la sortie du livre, le lancement, et la proclamation des lauréats du prix de la Fondation In-Quarto. Là, j'avoue qu'au début, je n'y ai pas cru. Ce prix n'a jamais été accordé qu'à des écrivains très réputés.

DAWN GRISANTI. Je vous avais avisé que nous serions dans la course.

ERIC MAHONEY. Mais je ne vous ai pas crue. Pas plus que lorsque vous m'avez annoncé que Martina North avait porté plainte. Mais d'autres me l'ont confirmé. J'ai appris que certains lecteurs avaient commencé de s'indigner. Et c'est là que je vous ai téléphoné.

DAWN GRISANTI. Comment comptez-vous réagir ?

ERIC MAHONEY. Face aux plaintes des lecteurs ?

DAWN GRISANTI. Vous devez forcément ressentir quelque chose.

ERIC MAHONEY. Une certaine fierté. Si l'on comparait l'œuvre d'un étudiant en musique à celle d'un Zimoviev ou d'un Zobrovika, il en serait flatté, non ?

DAWN GRISANTI. Sauf que dans votre cas, on n'a pas fait que comparer.

ERIC MAHONEY. Un pharaon vous mène droit aux enfers. Vous inventez un long rituel et vous finissez par le supprimer. Mais il ressuscite et vous hante la nuit. Il redevient un personnage de votre univers, il vit dans l'époque contemporaine, vous le reconnaissez dans la rue. Vous ne pouvez plus vous en délivrer car il vous séquestre, vous suffoquez, il vous tient. Il devient si puissant que tout se passe comme au temps de la sorcellerie. C'est lui qui écrit à votre place. C'est lui qui s'abreuve et se nourrit dans son propre garde-manger littéraire, qui fait apparaître sur votre table les pages d'un roman dont vous devenez à votre insu l'auteur. Pendant le temps que dure le phénomène, vous ne savez plus qui vous êtes. Votre éditrice s'emballe. Elle parle de chef-d'œuvre, c'est une femme exaltée, elle tient à publier l'ouvrage tel quel, j'insiste. Le livre paraît, un mardi ; un mois et demi plus tard, on vous décerne le prix, on vous acclame, on achète le roman, on le commente et on encourage les ventes, on entreprend de le traduire en huit langues, on le réimprime à des centaines de milliers d'exemplaires, d'un certain point de vue, c'est la gloire, oui : la seconde fois, c'est la gloire. C'est un sentiment à la fois de dépaysement et de bonheur extrêmement crucial : ce que votre pharaon a porté au cours de sa vie, la joie, la souffrance, la peur, et même la mort, vous l'avez livré au plus grand nombre. Des gens pour qui la vie n'avait plus de sens vous remercient d'avoir écrit ce roman. Et puis soudain... et puis soudain... Tout ce que vous aviez bâti prend subitement l'apparence d'un château de cartes. Un coup du sort. C'est comme si l'on vous disait : « La fin du monde est arrivée. Mais vous y avez survécu. A vous maintenant de vous débrouiller avec les décombres. » *(Un temps.)* Au début, oui, j'ai ressenti une certaine fierté. Puis j'ai eu le sentiment qu'il se passait une catastrophe hors de mon contrôle, et je vous ai téléphoné.

DAWN GRISANTI. A propos de votre second roman, reconnaissez-vous avoir emprunté des extraits, au moins un extrait substantiel, au dernier livre de Martina North ?

ERIC MAHONEY. Non.

DAWN GRISANTI. Nous devons établir vous et moi une argumentation solide. Pour cela je dois avoir toute votre confiance. Reconnaissez-vous avoir emprunté à Martina North un extrait de son roman ? A moi, vous pouvez le dire.

ERIC MAHONEY. Je vous dis que non.

DAWN GRISANTI. Bien. Vous avez conservé vos brouillons ?

ERIC MAHONEY. Vous les avez dans vos archives.

DAWN GRISANTI. Je ne parle pas de votre manuscrit, je veux dire vos premiers jets, vos feuilles pleines de ratures, enfin vos brouillons, vous les avez conservés ?

ERIC MAHONEY. Je ne fais pas de brouillons.

DAWN GRISANTI. Mes rédacteurs, moi-même, enfin tout le monde fait des brouillons avant de mettre quelque chose au propre.

ERIC MAHONEY. Mais c'est le double du travail !

DAWN GRISANTI. On ne peut pas écrire un roman sans faire de brouillons ! Surtout si vous écrivez des livres à l'intention du grand public.

ERIC MAHONEY. Mon second roman est beaucoup plus obscur que le premier. Tous ces lecteurs qui l'ont acheté doivent le regretter et d'ailleurs ils me le font payer cher.

DAWN GRISANTI. Ces gens qui vous ont accordé le prix semblent apprécier votre style.

ERIC MAHONEY. Ils sont passablement guindés. Cette Fondation est constituée d'écrivains qui s'achètent des chapeaux conventionnels et des encyclopédies. Ils se réunissent dans un château hanté et ils font partie de cette élite où il y a un temps pour écrire et un temps pour s'amuser. Pendant les quatre jours où j'ai écrit *La Traversée de la mer Rouge*, je me suis soûlé sans interruption.

DAWN GRISANTI. Vous...

ERIC MAHONEY. Mais cela, j'admets que dans l'éventualité d'un... retentissement, il ne faudra pas le dire.

DAWN GRISANTI. Mais qu'est-ce que nous allons dire ?

ERIC MAHONEY. Je ne sais pas.

DAWN GRISANTI. Que des mots, sous votre plume...

ERIC MAHONEY. ... je n'écris qu'à la machine.

DAWN GRISANTI. ... sous votre inspiration, se seraient agencés de telle façon qu'on puisse les retrouver tout bonnement identiques, dans le roman de quelqu'un d'autre, publié précédemment ?

Un temps.

ERIC MAHONEY. « Avec les funérailles il faut abandonner le deuil, quand nos cœurs seraient remplis de toutes les larmes que la lune contient dans son plein. » Qui a écrit cela ? En fait, cette phrase existe dans un roman publié récemment chez

Elmers, mais je me suis souvenu que ce passage existait aussi dans un long poème de Harrison Lester, qui se trouvait mot à mot chez Andrew Edmitt, lequel l'avait lu chez Augustin Moser, qui le tenait de Byron, et l'on sait que Byron l'avait emprunté à Southampton qui l'avait volé à Shakespeare qui le tenait d'Aristote, qui avait copié Hénoch, qui lui-même l'avait lu dans l'Ancien Testament. Or aucun de ces auteurs n'a été cité en justice pour avoir repris les mêmes mots d'un siècle à l'autre.

DAWN GRISANTI. Vous reconnaissez donc avoir écrit et publié un roman contenant les mêmes mots que ceux qu'on peut lire dans le dernier livre de Martina North ?

ERIC MAHONEY. Non, je vous le répète. Écoutez, Harrison Lester et d'autres, avant lui, après lui, l'ont fait, soit dans l'ignorance, soit en connaissance de cause. On ne les a pas envoyés à la torture pour ça.

DAWN GRISANTI. La différence est que dans votre cas, ce n'est pas deux ou trois mots qu'on vous reproche d'avoir emprunté à Martina North, mais bien quatre-vingt-trois lignes.

MARTINA NORTH. Toute mystérieuse exposition du monde n'a de sens qu'à partir d'un sentiment débordant de l'autre. Les mots recrutent un univers, fugace, tout entier dans son élan qui le propulse, puis se métamorphosent, montrant tour à tour une douleur qui les rend fragiles, et leur observation du destin qui les rend vrais. Je suis restée sous le charme pendant plusieurs heures. Jusqu'à cette exposition de l'estuaire qui précède le passage de l'*Indiana* où j'ai eu une sorte d'impression très ancienne, comme s'il m'était donné tout à coup l'occasion de me sentir en tant que lectrice, et aussi en tant que femme extrêmement vulnérable. Je me sentais assaillie par des images et des sonorités. Le doute s'est installé dès le premier paragraphe. Machinalement, j'ai fait un trait au crayon dans la marge. Je ne savais trop ce qui m'agaçait, j'étais encore sous l'emprise des premiers chapitres. Comprenez que ce passage s'intègre parfaitement dans l'ensemble, sans aucune forme d'entorse, sans la moindre aspérité. Vous avez l'impression de glisser dans un rêve que vous avez déjà fait, et c'est à se demander par quel miracle il ressurgit là sous vos yeux, au beau milieu d'un récit que vous lisez par hasard. Vous vous sentez malgré tout, comment dire, délicieusement transportée. Vous pensez que l'auteur utilise un procédé de répétition, vous vous demandez si ce n'est pas le début du livre qui recommence. Puis, subrepticement, un mot vous frappe, comme une sorte de référence indue, un repli de votre ego vous avertit, mais c'est encore au stade de l'impression, votre propre sensibilité vous révèle mentalement que vous auriez pu écrire la même chose. Puis l'évidence, comme une collision, de plein fouet. Au fur et à mesure que j'avançais dans ce passage, je croyais devenir folle. Je cherchais désespérément des guillemets, de l'italique, des notes en bas de page, ne serait-ce qu'une seule.

FRANK CAROUBIER. Continuez, il faut chercher. La moindre indication pouvant être reliée au fait que cet extrait n'est pas vraiment d'Eric Mahoney, même si votre nom n'apparaît pas dans le contexte, je parle d'un anagramme, d'un code, le moindre élément, fût-ce entre les lignes, pourrait transformer la gravité de ce délit en simple querelle.

MARTINA NORTH. Il existe des signes non équivoques en littérature pour indiquer clairement qu'un passage n'est pas de l'auteur mais bien de quelqu'un d'autre.

FRANK CAROUBIER. Je l'admets, mais il suffirait que l'auteur ait écrit je ne sais quoi qui puisse indiquer son goût pour les références, un fanatisme pour votre œuvre... Il s'agit d'un roman, et non pas d'un article spécialisé.

MARTINA NORTH. Qu'il s'agisse ou non d'un roman, personne n'a le droit ! Même si mon nom apparaissait ailleurs, quelque part dans ce livre, ce qui n'est pas le cas, ça ne l'autoriserait en rien à me citer sans en demander la permission au préalable, «à moi ainsi qu'à mon éditeur». C'est dans tous les contrats.

FRANK CAROUBIER. Mais j'insiste. Supposez un instant qu'Eric Mahoney arrive à démontrer le procédé anarchique de son roman, qu'il réussisse à atténuer un acte scandaleux à première vue en prouvant que toute son entreprise est basée sur une sorte de vandalisme intellectuel, incorporé dans la fiction ?

MARTINA NORTH. Vandalisme intellectuel ! Contentez-vous donc de vous en tenir à la loi !

FRANK CAROUBIER. Eric Mahoney pourrait affirmer par exemple que d'autres passages de son livre ont été empruntés à des écrivains appartenant au domaine public. Le fait que vous soyez parmi ceux-là serait vu comme de la maladresse plutôt que de la fraude. Ils essaieront de faire croire à sa candeur. Grisanti nous a parlé de lui comme d'un être plutôt désarmant de simplicité – un homme irrésistiblement aimable, voire attachant, rien de ce à quoi l'on aurait pu s'attendre.

MARTINA NORTH. Je voudrais bien savoir lequel des deux est plus abruti que l'autre.

FRANK CAROUBIER. Nous avons tendance à croire que Grisanti n'est pas très intelligente. Mais elle pourrait nous étonner. Quant à lui, j'arrive mal à mesurer l'écart entre ce qu'il pense et ce qu'il dit. Je crois qu'il fait semblant d'être stupide, alors qu'en fait il n'est peut-être pas si brillant. Bref, on parle d'un couple fondé sur la bienveillance, qui peut difficilement partir en guerre, faute de guerre entre les deux.

MARTINA NORTH. Vous ne pensiez tout de même pas qu'ils allaient jouer les arrogants ? « Désarmant de simplicité ! » Quelle candeur en effet ! Vous me voyez désarmée par l'imbécillité d'un gribouilleur habitant peut-être mon quartier qui copie quatre-vingt-trois lignes de mon roman le plus célèbre et qui les réédite sur la place publique ! Et méfiez-vous de ce que la Fondation In-Quarto peut alléguer pour se défendre. Déjà qu'on les désapprouvait de couronner un débutant, je veux qu'on les éclabousse. En se réunissant dans leurs salons vétustes, ces gens nuisent à notre métier. Ils nous couvrent de ridicule et l'État les encourage. J'ai décidé que j'allais les écraser.

FRANK CAROUBIER. Avez-vous terminé la lecture de son roman ?

MARTINA NORTH. Non, et je ne le finirai pas.

FRANK CAROUBIER. J'aimerais que vous le fassiez car...

MARTINA NORTH. Ce livre est un navet.

FRANK CAROUBIER. Prouvez-le, et tout s'effondre. C'est parce qu'Eric Mahoney a la réputation d'un écrivain sérieux et que vous êtes le seul auteur en cause que cette affaire a du poids. Je sais l'épreuve à laquelle vous devez faire face, ...

MARTINA NORTH. J'aurais préféré qu'il entre chez moi et qu'il brise tout ce que je possède. Là au moins on aurait parlé de pillage, de vandalisme, de violence.

FRANK CAROUBIER. Je comprends l'intensité de cette violence mais vous devez absolum...

MARTINA NORTH. Oh non, vous ne la comprenez pas. Ne me dites pas que vous comprenez l'écœurement que j'éprouve depuis que la presse se délecte de ce que j'ai de plus intime. Quoi d'étonnant, elle fait son pain quotidien des mères qui perdent leurs enfants, des automobilistes qui foncent sur des femmes enceintes, des bombes qui réduisent le nombre d'endroits où l'on peut se faire avorter, et, dans l'amas des curiosités, pour rassasier l'opinion qui se passionne pour le cliché d'une romancière hystérique, on va citer mes propos hors contexte et faire de moi le portrait d'une romancière jalouse, rapace, intolérante et frustrée, qui jette son dévolu sur un des auteurs les plus appréciés de la relève.

FRANK CAROUBIER. Calmez-vous.

MARTINA NORTH. Je n'ai aucune envie de me calmer. Il y a en moi une enfant intransigeante qui réclame de la misère pour cet homme. Personne ne peut comprendre l'effroi que je ressens devant la prise de possession par autrui d'un travail qui est issu de moi-même, de mon entité psychique et de mon âme.

FRANK CAROUBIER. Calmez-vous.

MARTINA NORTH. Cet homme m'a tuée ; je vous en supplie, dites-moi ce que nous devons faire pour... pour qu'il me reste au moins une illusion de justice.

FRANK CAROUBIER. D'abord, terminer la lecture de ce roman dont vous avez dit vous-même que le début vous avait envoûtée.

MARTINA NORTH. Une bonté naturelle que j'ai à l'égard de tous ceux qui me persécutent.

FRANK CAROUBIER. Allons.

MARTINA NORTH. Ma voyante, qui n'y comprend rien, me dit pourtant que je dois faire le deuil de tout ce qui m'appartient.

FRANK CAROUBIER. Face à de petits objets matériels que vous égarez.

MARTINA NORTH. Que j'égare ! Ah bon !

FRANK CAROUBIER. Qu'on vous dérobe.

MARTINA NORTH. Des vétilles, j'en conviens, mais des vétilles qui m'étaient infiniment précieuses. La tasse dans laquelle je buvais tous les matins. Un objet qui, au-delà de sa valeur, contenait mes espoirs, mon insouciance et mes peines. Je donnerais un diamant pour la ravoir. Enfin, je ne dois y attacher que peu d'importance car je m'acquitte apparemment de dettes que j'aurais contractées dans une vie antérieure.

FRANK CAROUBIER. Il existe une différence entre la disparition de votre tasse et l'apparition d'un de vos chapitres dans le roman d'Eric Mahoney.

MARTINA NORTH. C'est moi, l'écrivain, qui vous contredis, l'homme d'affaires. Un vol est un vol. Ce que je ressens entre l'un ou l'autre de ces délits dont je suis la cible se compare. Mais je sais. J'ai la manie de tout confondre. Je ne suis à vos yeux qu'une romancière qui n'a pas les deux pieds sur terre. Je vous hais.

FRANK CAROUBIER. Le fait que, dès la page 3, l'homme s'appelle Richardson et qu'il s'intéresse à la cause islamique ne vous a pas alertée ?

MARTINA NORTH. Cela m'a paru bizarre, mais je n'ai pas sursauté. Richardson est un nom typique de héros de roman, on les compte à la centaine. Quant à la cause islamique, elle constitue la toile de fond d'un roman sur deux depuis ces fameux *Versets sataniques*. Frank, tout ceci devrait être réglé au moment où l'on se parle, et il est question à présent d'un cinéaste qui cherche à s'immiscer dans ce que j'ai de plus intime sans permission ? Mais grands dieux, comment a-t-il été mis au courant ?

FRANK CAROUBIER. Je vous aime.

MARTINA NORTH. Quelle heure est-il ?

FRANK CAROUBIER. Il a été l'un des premiers à se rendre compte que le livre d'Eric Mahoney comporte un passage de votre dernier roman.

MARTINA NORTH. De mon roman « le plus récent ».

FRANK CAROUBIER. Mais j'ai bon espoir qu'il ne trouve pas les fonds nécessaires pour mener son projet à terme.

MARTINA NORTH. Vous, requin, vous n'avez que de l'espoir ?

FRANK CAROUBIER. Et un peu d'influence.

MARTINA NORTH. Je l'espère. Je ne veux pas qu'on fasse du cinéma aux dépens de l'*Indiana*.

FRANK CAROUBIER. Ce film ne se fera pas, comptez sur moi.

MARTINA NORTH. Je compte sur vous.

FRANK CAROUBIER. S'il le faut, nous lui enverrons une mise en demeure.

MARTINA NORTH. Je compte sur vous pour que nous allions en cour.

FRANK CAROUBIER. Pas tout de suite.

MARTINA NORTH. Le tribunal est une affaire effrayante, je sais. Mais pas autant que ce qui m'arrive. Vous dites que vous m'aimez.

FRANK CAROUBIER. Il est quatre heures.

MARTINA NORTH. L'heure que vous voudrez. *(De mauvaise foi.)* J'ai toujours été la femme la plus obéissante de l'univers quand il s'agissait de suivre vos conseils...

FRANK CAROUBIER. Pourquoi tant de bruit ?

MARTINA NORTH. De me plier à vos suggestions...

FRANK CAROUBIER. Écoutez-moi.

MARTINA NORTH. D'endurer vos avertissements...

FRANK CAROUBIER. Je ne veux pas de procès pour l'instant.

MARTINA NORTH. D'entrevoir le pire...

FRANK CAROUBIER. Le pire !

MARTINA NORTH. Parfois la fin du monde, si je ne vous écoutais pas.

FRANK CAROUBIER. Nous devons régler cela entre nous.

MARTINA NORTH. J'ai tant de fois boudé mon intuition au profit de votre expérience, je me suis tant de fois soumise à vos avis, quitte à me sentir humiliée, traquée à l'idée de peut-être vous désobéir, effrayée par le sentiment que peut-être je ne suivais pas exactement la voie de votre volonté, terrorisée en pensant que j'avais peut-être mal enregistré la leçon, je me suis tant de fois inclinée, j'ai tant de fois prêté l'oreille, donné mon adhésion, j'ai si souvent inventé que vous étiez mon père que je me demande aujourd'hui si ces romans qui portent ma signature n'ont pas été écrits effectivement par d'autres.

FRANK CAROUBIER. Que ça nous plaise ou non, nous allons peut-être devoir aller en cour parce que Grisanti m'a parlé d'une avocate prête à plaider la non-culpabilité d'Eric Mahoney.

MARTINA NORTH. Quoi ? En invoquant quoi ? La simplicité ? La candeur ? Ha ! Et pourquoi pas la maladresse ?

FRANK CAROUBIER. Non, pas la maladresse.

MARTINA NORTH. Alors quoi ?

FRANK CAROUBIER. Le hasard.

DAWN GRISANTI. Le hasard est un très mauvais alibi. Je vous dirai que pour nombreux que sont les hasards dans la vie, ils ne constituent pas une bonne défense. Quand mon amie Joséphine Pengoin était stagiaire en Droit, elle avait assisté au procès d'un homme inculpé pour meurtre. En voulant abattre son chien, il avait tiré une balle, laquelle avait fait au moins trois ricochets avant d'aller se loger dans la tête d'un piéton à deux rues de l'endroit d'où elle était partie. L'avocat n'a jamais réussi à faire jouer le hasard en faveur de l'accusé, même si le pauvre piéton s'appelait Mr. Dog. Pour revenir à nos moutons, j'ai retrouvé vos contrats.

ERIC MAHONEY. Retrouvé ?

DAWN GRISANTI. Pour être franche, je les ai préparés la nuit dernière. J'ai daté le premier du 22 septembre 1987, et j'ai mis le 10 octobre 89 pour le second. J'ai vérifié et ça tombe un mardi les deux fois.

ERIC MAHONEY. Où voulez-vous que je signe ?

DAWN GRISANTI. Vous ne voulez pas les lire ?

ERIC MAHONEY. Pourquoi ?

DAWN GRISANTI. La clause 8 en page 3 garantit l'éditeur contre toute poursuite advenant des représailles. Aussi, j'ai rayé la clause. Par acquit de conscience. Ils diront que c'est idiot de ma part, mais quoi que je fasse, ils diront que c'est idiot. Honnêtement, j'avais lu le roman de Martina North à sa parution et j'admets ma négligence. J'aurais dû constater la ressemblance en lisant votre manuscrit.

ERIC MAHONEY. Pourquoi dire ça ? Vous ne l'avez pas lu.

DAWN GRISANTI. Pardon ?

ERIC MAHONEY. Vous n'avez pas lu *La Traversée de la mer Rouge*.

DAWN GRISANTI. Vous saurez que je lis personnellement tous les ouvrages que je publie. De la première à la dernière page.

ERIC MAHONEY. Nous sommes le 22 septembre 1987. Vous ne pouvez pas avoir lu un roman dont je ne signerai le contrat que dans deux ans. Pour la bonne raison que je ne l'ai pas encore écrit. Enchanté. Ravi. Transporté. D'après votre voix au téléphone, j'aurais parié que vous étiez rousse. Et moi ? Comment m'avez-vous imaginé ? Bavard ou imberbe ? Dissipé ou manchot ? Étais-je chat, tristesse, ou bord de lagune ?

DAWN GRISANTI. Plutôt bord de lagune. Par un après-midi calme.

ERIC MAHONEY. Si j'ai choisi votre maison, c'est pour le soin que vous attachez à la présentation de vos collections de romans et nouvelles, et non pour la diffusion qui, à ce qu'on m'a dit, laisse beaucoup à désirer. Puis-je vous demander de diffuser le moins possible ce roman que je considère comme étant l'une des choses les plus impudiques que j'aie commises ? Sans parler du pessimisme de la fin. Mon héros se suicide avant de mourir assassiné douze fois.

DAWN GRISANTI. Votre *Descente du pharaon* m'a littéralement...

ERIC MAHONEY. Déroutée.

DAWN GRISANTI. Envoûtée.

ERIC MAHONEY. Mais je crois que vous dites ça pour ne pas dire autre chose. Il y a de la déroute dans vos yeux bleus.

DAWN GRISANTI. Envoûtée.

ERIC MAHONEY. Un nuage on dirait.

DAWN GRISANTI. Pourquoi voudriez-vous tant ?

ERIC MAHONEY. Je me suis laissé dire que vous aviez parfois du mal à évaluer la littérature actuelle.

DAWN GRISANTI. Je sais qu'on vous a dit les pires choses à mon sujet. Je suis la tête de Turc de ce milieu pourri.

ERIC MAHONEY. Vous leur avez fait du tort ?

DAWN GRISANTI. Rien en comparaison de ce que je m'apprête à leur faire.

ERIC MAHONEY. C'est-à-dire ?

DAWN GRISANTI. Vous éditer. Il est prématuré de vous annoncer le prix de la Fondation In-Quarto, mais je serais tentée de vous le promettre pour votre second roman.

ERIC MAHONEY. Il ne faut jamais vendre la peau de l'ours. Du reste, il n'y aura pas de second roman.

DAWN GRISANTI. Il ne faut jamais dire fontaine.

ERIC MAHONEY. J'ai tout mis dans ce roman. C'est l'œuvre d'une vie. Ce livre contient sa propre suite.

DAWN GRISANTI. C'est ce que nous verrons.

ERIC MAHONEY. Parlez-moi de cette fondation. Ces gens habitent un château je crois ?

DAWN GRISANTI. Quel château ! Une merveille victorienne où l'on ne compte pas moins de dix salons aux tapis rouge vin.

ERIC MAHONEY. Et ce prix ? Je présume que tous les éditeurs le convoitent ?

DAWN GRISANTI. Pas autant que tous les écrivains. Ce prix les engraisse et les rend riches.

ERIC MAHONEY. Ah oui ?

DAWN GRISANTI. Je ne parle pas que de richesse financière.

ERIC MAHONEY. Ah non ?

DAWN GRISANTI. Votre pharaon.

ERIC MAHONEY. Eh bien ?

DAWN GRISANTI. Ce n'est pas un vrai pharaon.

ERIC MAHONEY. Mais non.

DAWN GRISANTI. Voilà. Dites-vous que ces gens sont des pharaons qui engendrent des pharaons. Pour revenir au vôtre. Richardson. Ce nom me dit vaguement quelque chose. Il me semble avoir lu quelque part, récemment, un roman dont le personnage principal s'appelle aussi Richardson.

ERIC MAHONEY. Ah. Nous n'avons qu'à le nommer autrement.

DAWN GRISANTI. Bonne idée.

ERIC MAHONEY. Erreur. Vous aviez dit : « Richardson est un nom incontournable, que lui reprochez-vous ? » Incontournable. Vous aviez dit : « incontournable ».

DAWN GRISANTI. Oui je sais.

ERIC MAHONEY. « Vous m'avez littéralement conquise, j'aime votre personnage, et d'abord et avant tout, j'aime son nom, il est riche, il est roi, soleil en plein désert, ce pharaon se dresse et bascule, jaloux, dans un grand acte de communion impérissable avec son ascendance et les sédiments de la mer Rouge, et vous voudriez l'appeler comment ? Jean Caron ? Raoul Caron ? Cyrille Caron ? »

DAWN GRISANTI. Vous l'aviez tué à la fin de votre premier roman, et vous l'avez ressuscité pour qu'il redevienne votre héros dans le roman suivant. Pourquoi ?

ERIC MAHONEY. Et cette idée vous a emballée.

DAWN GRISANTI. Je suis trop cartésienne pour me réjouir d'une résurrection. Il est mort à la fin du premier roman.

ERIC MAHONEY. Vous l'aviez dit vous-même : « Je crois que Richardson n'est pas mort. » Vrai ou faux ?

DAWN GRISANTI. Noyé dans son bain. Étranglé avec sa cravate dans son bain. Les poignets sectionnés dans son bain. Hara-kiri dans son bain. Exterminé, supprimé, étêté, immolé dans son bain. Et vous essayez de me dire ! Empoisonné, asphyxié, pulvérisé, assassiné par douze personnes différentes de douze manières différentes dans son bain.

ERIC MAHONEY. Vous aviez ajouté : « Je vous soupçonne de ne pas l'avoir assez tué. Quelque chose me dit que Richardson est trop mort. Il va sortir du bain, vous allez voir. »

MARTINA NORTH. L'industrie Ciné-Wreck a donné son accord. La firme injecte la moitié des fonds nécessaires à ce cinéaste pour la restauration de mon naufrage. Et les méga-réfrigérateurs de marque *Saturn* dont le logo représente un frigo encerclé d'anneaux vont commanditer le tournage. On lira ce nom sur l'affiche et nous pourrons voir le logo de la compagnie partout où l'on fera la publicité du *Passage de l'*Indiana. Ceci me rend folle. Une compagnie rescapée de la faillite et dont les déchets sur les berges de la Susquehanna émettent des ondes verticales qui menacent à grands sillons la couche d'ozone ! Et pourquoi des réfrigérateurs ? Parce que ce Donato Conte est un visionnaire. Il a découvert qu'on peut frigorifier des rivages. Il va tourner des séquences dans le nord du Manitoba, là où les berges du lac Winnipeg gèlent en décembre. Des glaciers se forment instantanément sous nos yeux, tout se fige en un instant, et la vague, dans son élan, se paralyse dans l'air avant même de se briser. Le ressac, prévu pour la seconde d'après, n'aura lieu qu'à la mi-avril. Et pourquoi des réfrigérateurs ? Parce que c'est justement à la mi-avril que le tournage est prévu. Ils comptent empêcher la fonte des crêtes en vaporisant de l'azote liquide dans l'atmosphère. Ils sont désormais capables de prolonger les hivers. Nous vivons dans un siècle où la volupté et la technologie s'affrontent, et la technologie l'emporte, mon cher Frank, la technologie l'emporte. Et la volupté s'effondre, bonne perdante, elle se fige, elle s'avoue vaincue devant le vainqueur, comme une vague anesthésiée de décembre à avril. Pour l'amour de l'effet !

FRANK CAROUBIER. Nous lui avons pourtant signalé que le moment était mal choisi pour mettre en scène le naufrage de l'*Indiana*.

MARTINA NORTH. Vous savez, mon cher Frank, le moment sera toujours mal choisi pour parler de l'*Indiana*, et tant que je vivrai, je peux au moins vous assurer que personne, jamais, personne ne fera allusion à ce naufrage. Il est temps d'agir. Ils veulent tourner au printemps.

FRANK CAROUBIER. L'hiver ne fait que commencer.

MARTINA NORTH. Ils ont déjà reçu la moitié des fonds qu'ils réclamaient.

FRANK CAROUBIER. Il leur manque l'autre moitié.

MARTINA NORTH. Bref, j'ai décidé de le mettre en demeure d'abandonner son projet jusqu'à nouvel ordre, à défaut de quoi nous engagerons des poursuites judiciaires. Si c'est mon bonheur que vous voulez, trouvez-nous un avocat d'ici vingt-quatre heures. Si c'est ma peau, continuez d'être veule.

FRANK CAROUBIER *(les yeux clos)*. Ce cinéaste et moi avons un point en commun.

MARTINA NORTH. Lequel ?

FRANK CAROUBIER. Nous vous aimons.

MARTINA NORTH. Quelle heure est-il ?

FRANK CAROUBIER. Au point de convoquer l'azote liquide et de le répandre dans l'atmosphère au détriment d'...

MARTINA NORTH. ... de la couche d'ozone.

FRANK CAROUBIER. ... d'une déchirure qui se passe au-dessus de nous. Au-dessus de ce que nous pouvons comprendre.

MARTINA NORTH. Au-dessus de Dieu, pourquoi pas ?

FRANK CAROUBIER. Au-dessus de Dieu, peut-être.

MARTINA NORTH. Trêve de vos envolées. Contentez-vous de les écrire.

FRANK CAROUBIER. Que voulez-vous que j'écrive depuis que vous avez dénigré ce que je vous ai fait lire il y a deux ans ?

MARTINA NORTH. Tous les éditeurs ont le droit de commettre des romans, mais le vôtre, mon cher Frank, allait en deçà de ce qui est permis de faire. En tout cas, il n'aurait pas reçu le prix de la Fondation In-Quarto. Quel en était le titre déjà ?

FRANK CAROUBIER. *L'Imparfait du subjonctif.*

Martina North éclate d'un grand rire.

MARTINA NORTH. *L'Imparfait du subjonctif* ! ! !

FRANK CAROUBIER. « Une œuvre désuète et rococo, au style suranné et à l'abus de temps surcomposés. » Jamais un manuscrit n'a reçu de rapport si lapidaire. Vous vous étiez surpassée.

MARTINA NORTH. Vous m'aviez fait lire ce roman rempli d'adjectifs en me cachant que vous en étiez l'auteur. Pouvais-je deviner que vous alliez éternellement me reprocher d'avoir été sincère ?

FRANK CAROUBIER. Je ne vous reproche rien. Vous m'aviez beaucoup appris.

MARTINA NORTH. Deux ans et demi plus tard, vous vous souvenez de mes remarques par cœur !

FRANK CAROUBIER. Je me souviens de tout. C'était le mois de juin. Nous avions échangé nos romans. Vous aviez lu le mien. J'avais lu le vôtre. Et je vous avais répondu.

MARTINA NORTH. Et deux ans et demi plus tard,

FRANK CAROUBIER. « 21 juin 1987 »

MARTINA NORTH. ... vous vous en souvenez par cœur.

FRANK CAROUBIER. « Chère Martina North. Encore bouleversé par la lecture de votre dernier roman. Tourmenté à l'idée que tout ceci sera bientôt publié. Comme une chose possible pour tous. Le récit de ces êtres infiniment seuls. Habitant le même désert. Partageant le même cri. La même souffrance. Cet amour qui les unit. Qui nous engouffre, vous et moi. Le roman permet tant de choses. Mais peut-il permettre que ce qui n'a de sens que pour nous deux puisse s'effacer en autant d'exemplaires, que vos héros, Richardson et Mary Kingley, aient été, en tous points conformes, ce que nous étions, vous et moi, et soient devenus, trente ans plus tard, ce couple d'étrangers que nous sommes devenus ? Oui, c'est un bien grand roman d'amour que vous avez écrit, à défaut de m'avoir dit que vous m'avez aimé, chez Zimoviev, à Tripoli. Un amour déguisé par l'amitié, alors que jour après jour, excepté le dimanche, Richardson et Mary Kingley allaient s'asseoir dans la cour intérieure afin d'entendre chaque suite, bourrée, courante, sarabande, et note longuement tenue sur la corde de la, tandis que les chiens aboyaient, chaque suite, le lundi la première, le mardi la seconde qui vous rendait si perplexe, le mercredi la troisième, celle que je préférais, le jeudi, la quatrième, si sereine, le vendredi la cinquième en do mineur, et le samedi, l'incisionnelle sixième, en ré. Toute la tendresse que nous éprouvions l'un pour l'autre s'exprimait en ce ré, obstiné, fugace, impatient. Et puisque Bach n'en avait écrit que six, Monsieur Zimoviev se reposait le dimanche, comme Dieu le Père. Et le dimanche, Richardson et Mary Kingley allaient marcher dans la ville, en s'interrogeant sur la véracité de leurs croyances. Pourquoi avoir tant attendu, pourquoi plus de trente ans entre ces promenades dans Tripoli et cet aveu ? Tout concorde à présent. Vos regards. Vos regards tournés vers moi, avec, en toile de fond, la Méditerranée, intense, calme, silencieuse, là où vos yeux, en se détournant des miens, se mesuraient à l'espace, il me semblait que vous cherchiez à sonder au rez de l'horizon des trésors ; je sais aujourd'hui que dans ces eaux muettes comme la tombe vous engouffriez vos secrets. Cette douleur sur votre front, vous sautiez du coq à l'âne quand je vous interrogeais, et j'en étais venu à croire que sous les dehors d'une femme impétueuse, vous étiez profondément mélancolique. Ainsi dans votre roman Mary Kingley va hurler dans le désert, en injuriant le sable et en maudissant la sécheresse, afin de convaincre le vide qu'elle n'est pas silencieuse. Vos parents étaient danois et quelqu'un déjà m'a dit que les Danois sont nostalgiques. Nous étions heureux pourtant, nous trinquions, nous rendions hommage à Zimoviev, à l'épouse de Zimoviev, aux enfants de Zimoviev, aux suites de Bach de Zimoviev. Je serais parti.

J'aurais quitté l'alibi et j'aurais regagné l'Amérique sans souffrir qu'une romancière plus douée que les autres se permette de troubler mon existence. Or je vous aimais. Sans savoir. Puisque vous m'aimiez, forcément je vous aimais. J'étais le meurtrier qui s'obstinait à rester sur le lieu du crime sans savoir que ce faisant il raffinait son crime. Nous nous aimions pour quelque chose d'obscur, je croyais que tout était simple, et je mettais sur le compte du bonheur tout ce qui, venant de vous, m'alertait. Je vous aime, Martina, je t'aime. Je t'aimerai toujours car ce qui m'appartient de vous est ineffaçable. Il faut que tu sois heureuse en sachant que je vous aime. Ainsi j'éditerai l'ouvrage, et ceux qui nous connaissent accréditeront votre thèse. Richardson aura toléré Mary Kingley pour une vague question d'intérêt, et tous le croiront, surtout quand le retentissement et les retombées financières de la vente de vos livres auront joué en ma faveur. Si je suis devenu, trente ans plus tard, le personnage principal de votre roman, c'est que je l'ai voulu, tant pis. C'est que vous m'avez aimé, tant pis. C'est que j'ignorais que vous m'aimiez, tant pis. C'est que pour moi l'amour... tant pis. »

MARTINA NORTH. Quelle heure est-il ?

FRANK CAROUBIER. Il est quatre heures.

MARTINA NORTH. Quatre heures et il neige. Tant pis.

ERIC MAHONEY. Votre amie Joséphine Pengoin ne m'inspire aucune confiance. Cette avocate est trop débordée pour s'occuper de nous.

DAWN GRISANTI. Elle n'est pas maître de son temps.

ERIC MAHONEY. Comment l'amitié se peut-elle avec quelqu'un qui regarde sa montre aux dix secondes ? Vous avez mis à la porte Christopher Kaine pour moins que ça.

DAWN GRISANTI. Il donnait l'impression que toute la maison d'édition lui appartenait et je ne pouvais pas supporter son arrogance.

ERIC MAHONEY. Vous ne lui aviez donné que quatre jours pour réviser mes cinq cent cinquante pages.

DAWN GRISANTI. Justement. J'ai cru comprendre qu'il était seul pour avoir fait ce travail ?

ERIC MAHONEY. Non, car vous m'aviez dit que chaque livre passe sous le regard d'au moins deux correcteurs avant publication. Mais d'après Christopher Kaine, personne n'était aussi compétent que lui. Il a eu tort de penser cela, car monsieur Caroubier m'a dit qu'il y avait une vingtaine de fautes dans mon livre.

DAWN GRISANTI. Vous l'avez revu ? *(Enchaînant.)* Un très bon point. Vous auriez donc pu mettre des guillemets là où on vous reproche de ne pas en avoir mis. Faute de correcteurs compétents, ils auront été enlevés à l'impression et personne ne l'aura vu. Pas facile à prouver, mais c'est un point qui se défend.

ERIC MAHONEY. Pas si l'on a recours au manuscrit. C'est la première chose qu'on fera. Et je vous l'ai dit cent fois, je n'ai pas utilisé les guillemets.

DAWN GRISANTI. Il aurait fallu pourtant. Leurs deux absences coûtent chacune huit cent mille dollars. Vous avez revu Frank Caroubier ?

ERIC MAHONEY (*indigné*). Mais c'est une somme inouïe !

DAWN GRISANTI. Que vous serez obligé de défrayer si vous réfutez les solutions logiques que j'essaie de trouver pour nous sortir de cette impasse. Pourquoi ne pas m'aider ? Vous n'avez donc aucune imagination ?

ERIC MAHONEY. Moi, traduit en huit langues, vendu à des centaines de milliers d'exemplaires, moi, aucune imagination ?

DAWN GRISANTI. C'est ce que prétend la rumeur, figurez-vous. Et si vous persistez, tout le monde en sera convaincu.

ERIC MAHONEY. Parce que vous aussi, vous le croyez ? Vous croyez réellement que j'aurais repris mot à mot un passage publié dans un autre livre ? Chez un écrivain qui habite la même ville ?

DAWN GRISANTI. Justement, admettez que c'est trop, beaucoup trop pour qu'on puisse invoquer le hasard.

ERIC MAHONEY. Invoquer quoi, alors ?

DAWN GRISANTI (*avec assurance*). Sous l'effet de l'alcool, vous avez eu momentanément une panne d'inspiration. Vous avez pris un livre parmi d'autres, question de vous détendre, ou de vous relancer sur votre paragraphe à partir d'un mot, ou d'une phrase, et, toujours sous l'emprise de l'alcool, vous transcrivez, sans même vous en rendre compte, les mots qui se trouvent juste là sous vos yeux, parce que, et là seulement nous pouvons parler de hasard, le passage qui s'offre à vous s'intègre parfaitement à tout ce que vous avez écrit précédemment. Il y a une telle parenté de style entre votre écriture et celle de Martina North que vous seuls, vous et Martina North, pouvez savoir que le passage a été écrit par elle, et non par vous. Vous écrivez pourtant, vous donnez libre cours à votre fascination, jamais vous ne vous êtes autant reconnu chez quelqu'un d'autre, vous voyez cela comme un exercice extrêmement stimulant, vous écrivez en respectant scrupuleusement la ponctuation, en vous disant quelque part que, quand vous aurez retrouvé votre propre inspiration, il sera toujours temps de réévaluer le passage. Soit de mettre des guillemets et en indiquer la source, soit, plus probablement, de tout déchirer et de tout récrire dans vos propres mots. Ce que, deux ou trois jours plus tard, vous aurez oublié de faire dans votre hâte d'aller porter votre manuscrit chez l'éditrice aux yeux bleus. *(Un temps.)* Voilà où j'en suis dans ma compréhension des faits. *(Un temps.)* Depuis quand connaissez-vous Caroubier ?

FRANK CAROUBIER. Votre projet de roman intitulé *La Descente du pharaon* a été transmis à un membre de notre comité de lecture dont je vous donne quelques éléments du rapport : « D'emblée, l'idée de parachuter un roi de l'Antiquité dans notre époque n'est pas dépourvue d'intérêt. Sans être neuf, ce sujet vous permettrait sans doute d'explorer des situations insolites qui pour l'instant se résument à trop peu d'éléments pour qu'on puisse anticiper l'œuvre d'envergure que vous nous annoncez dans votre préambule. Si fascinant que soit pour vous l'univers des pharaons, l'on se demande si ce n'est pas votre personnage qui vous maîtrise plutôt que l'inverse. Plusieurs délits de fuite dans la conduite de votre intrigue et une certaine complaisance au niveau du style ne nous permettent pas pour l'instant de retenir votre projet pour publication. »

ERIC MAHONEY *(fulminant).* Maîtrise ! Délits de fuite ! Conduite d'une intrigue ! A vous entendre, les romans se bâtissent comme des infrastructures, avec des feux de signalisation et des panneaux avertisseurs. Je vous méprise. Oser vous attaquer à ce projet ! Vous n'avez d'estime que pour les auteurs établis. Mon propos est colossal, et vous en avez fait une lecture...

FRANK CAROUBIER. Sublime.

ERIC MAHONEY. Mais ce torchon...

FRANK CAROUBIER. Je n'avais pas encore lu votre plaquette. En fait, je viens de lire une des choses les plus insolites de mon existence. Je trouve, moi, que votre idée est géniale ; je ne dis jamais ce mot-là. Mais vingt pages, c'est trop peu.

ERIC MAHONEY. Et ce lecteur ?

FRANK CAROUBIER. Une lectrice. Qui a droit à son opinion. Vous n'avez soumis que vingt pages. Elle a remarqué votre manque de souffle.

ERIC MAHONEY. Quel crime !

FRANK CAROUBIER. Rien en comparaison de ce que je m'apprête à lui faire.

ERIC MAHONEY. C'est-à-dire ?

FRANK CAROUBIER. Vous éditer. Je pourrais être malhonnête et vous annoncer le prix de la Fondation In-Quarto, mais je me suis brouillé avec ces gens de la rue du Château-Trompe-l'Œil.

ERIC MAHONEY. Vous devrez vous réconcilier.

FRANK CAROUBIER. Impossible. Il faudrait pour ça me brouiller avec le reste de l'univers.

ERIC MAHONEY. Je suis le reste de l'univers.

FRANK CAROUBIER. Désolé jeune homme, mais une femme déjà occupe cette place. Vous devez commencer par devenir un écrivain, et un écrivain qui a du génie, encore une fois, je dis rarement ces choses-là.

ERIC MAHONEY. Excepté pour Martina North.

FRANK CAROUBIER. Qu'en savez-vous ?

ERIC MAHONEY. Je vous ai entendu dire en entrevue que son dernier livre est un chef-d'œuvre.

FRANK CAROUBIER. Il y a une certaine parenté entre vos inspirations. Vous l'avez lue ?

ERIC MAHONEY. Oui.

FRANK CAROUBIER. Relisez-la.

ERIC MAHONEY. C'est fait. Je pourrais vous réciter tous ses romans de mémoire, y compris celui qui vient tout juste de paraître. Quoi d'étonnant à ce que nos idées se ressemblent. Elle m'a mis au monde et m'a ouvert la voie. Sans elle, je ne serais qu'un humanoïde, je marcherais à tâtons en quête d'oasis sans profondeur. Il m'arrive de rêver qu'un immense terrain de jonquilles nous sépare.

FRANK CAROUBIER. Vous l'avez déjà rencontrée ?

ERIC MAHONEY. Non. L'idée que cette femme puisse exister avec des yeux, des mains, une robe et des souliers me déroute. Il me suffirait de la rencontrer pour découvrir que tout s'explique, que les choses les plus belles se fabriquent, avec un commencement, un milieu et une fin.

FRANK CAROUBIER. Que faites-vous dans la vie ?

ERIC MAHONEY. Je côtoie les autres et je reçois beaucoup d'eux.

FRANK CAROUBIER. Les autres ?

ERIC MAHONEY. Les fabricants de jouets, les empereurs romains et les dromadaires dans les zoos. J'aime la compagnie des sages. Je communie tous les dimanches et je vais au gymnase trois fois la semaine. Les autres jours, je pratique le saut à l'élastique.

FRANK CAROUBIER. Quelle sorte d'homme êtes-vous ?

ERIC MAHONEY. Et quelle sorte de femme. Il y a en moi les deux. Je suis aussi ce pharaon qui descend. Mikérinos, c'est moi.

FRANK CAROUBIER. Délivrez-vous de l'Antiquité. Songez que votre pharaon pourrait vivre en notre siècle autrement que par la cohabitation des époques. Filez la métaphore, et trouvez-lui un nom plus contemporain.

ERIC MAHONEY. Mais ce faisant, est-ce qu'il ne risque pas de devenir un héros mortel, un homme comme les autres ? Un individu civilisé qui mange des choux de Bruxelles ?

FRANK CAROUBIER. Gratinés. Les choux n'en seront que meilleurs, et votre héros, plus fascinant. Allons-y par étapes. Attendez, nous sommes mardi, revoyons-nous dans huit jours. Mais soyez discret. Pas un mot sur ces entretiens tant que nous n'aurons pas sur notre table un vrai manuscrit. Je ne voudrais pas que mon comité de lecture m'accuse de déloyauté. Je ne voudrais pas non plus que Pignasse, Riguel, Grisanti et autres éditeurs de pacotille se mettent à vous courtiser, ce sont des incompétents qui n'ont aucun sens de la diffusion. Oui, un pharaon contemporain. Débarrassé de ses tuniques et de ses momies. Qu'il resplendisse d'ambition, comme un roi.

20 décembre 1989

ERIC MAHONEY. Qu'importe la façon que les autres ont de nous juger ? Qu'importent nos pauvres personnalités ? Qu'importe la susceptibilité de Martina North ? Il lui arrivera un jour de publier des choses qui avaient été dites avant elle, à défaut de quoi on lui érigera un temple. Les écrivains n'ont-ils pas droit par moments à un répit ? Pourquoi faudrait-il que chaque page qu'ils noircissent soit une innovation ou une prophétie ? Si des lecteurs se sentent lésés parce qu'ils ont à relire un passage qui méritait d'être lu deux fois, ils n'ont qu'à m'écrire et je les rembourserai. Vous *devez* me croire. J'exige un éditeur qui croie en mon intégrité.

DAWN GRISANTI. Je crois en votre intégrité. Admettez toutefois que c'est un phénomène incroyable. Si au moins vos livres respectifs avaient été écrits et publiés simultanément ! Malheureusement, celui de Martina North est sorti en librairie deux ans avant que ne paraisse le vôtre. Deux ans, c'est amplement pour permettre à quiconque d'acheter le livre, de le lire, et Dieu sait quoi encore.

ERIC MAHONEY. Vous le pensez. Tout dans vos paroles me confirme que vous le pensez. Vous êtes comme les autres. Vous ne voyez que les apparences. Vous avez compté les virgules, comparé les éditions, joué au jeu des erreurs, vous vous êtes amusée avec un phénomène qui devrait au contraire plonger le monde entier dans une profonde méditation. Un pareil hasard est de l'ordre du fantastique, cela dépasse en beauté les plus grandes coïncidences cosmiques, deux êtres humains sur terre écrivant exactement la même chose n'est-il pas la preuve que la chose en question est fondamentale ? Non, devant l'ampleur d'un pareil phénomène, vous vous indignez et comme tous les gens bien pensants, immédiatement vous réduisez le miracle à l'expression bon marché du plagiat.

DAWN GRISANTI. Au moment où Martina North a publié son dernier roman, il y a deux ans, vous écriviez assidûment ? Tous les jours ? Est-ce que *La Traversée de la mer Rouge* peut contenir des passages à partir de textes que vous auriez écrits précédemment ?

ERIC MAHONEY. Non.

DAWN GRISANTI. En êtes-vous absolument certain ? C'est crucial. Si nous arrivions à prouver que certains passages de votre roman ont été écrits il y a plus de deux ans, rendez-vous compte que nous aurions là, déjà, un élément de doute raisonnable.

ERIC MAHONEY. Je vois. J'écris, au jour le jour, bon an mal an, des fragments de chapitres, et un certain passage où Richardson, tourmenté à l'idée de se porter à la défense de pratiques admises dans les tribus, voit, sous l'effet de sa propre léthargie, la silhouette de l'*Indiana* sur l'estuaire alors qu'il apprendra le naufrage du paquebot quelques heures plus tard, etc.

DAWN GRISANTI. Et vous auriez écrit cela il y a au moins deux ans.

ERIC MAHONEY. Ou davantage. Car ne devons-nous pas accorder un laps de temps nécessaire pour permettre à Martina North d'être entrée chez moi, d'avoir lu le texte en question, de s'en être emparée, et d'avoir conçu le roman qui pouvait encadrer le passage qu'en temps et lieux on me reprochera de lui avoir volé ? Ensuite, elle se rend chez vous et vous soumet le manuscrit. Tout concorde, les lieux, la date du 14 avril, un mardi, tenez !

DAWN GRISANTI. Chez nous ? Comment savez-vous qu'elle s'est rendue chez nous ?

ERIC MAHONEY (*après un temps*). Je le sais. Enfin, je n'ai pas inventé cela, vous avez dû me le dire.

DAWN GRISANTI. Elle m'avait fait jurer de n'en parler à personne. Caroubier ignorait tout, *(Encouragée.)* mais, alors... vous voyez que...

ERIC MAHONEY. Que toute cette hypothèse est d'une facilité lamentable. Qu'il serait aussi médiocre de prétendre qu'elle m'a plagié que l'inverse. Intentez-lui un procès si ça vous intéresse, mais ne me faites pas dire que le passage de l'*Indiana* m'appartient à moi plus qu'à elle.

21 décembre

FRANK CAROUBIER. Cette affaire traîne depuis assez de temps déjà pour que les intérêts réclamés par Martina North fassent l'objet d'un procès indépendant de celui que nous redoutons mais auquel tout le monde est en train de se préparer. A moins bien sûr qu'il se trouve en ce pays un juge qui croit aux miracles. J'estime les probabilités d'un tel fait comparables à celles qui permettraient qu'un auteur, où qu'il soit dans le monde, écrive quatre-vingt-trois lignes identiques à celles d'un autre auteur, depuis l'Antiquité jusqu'à nos jours. Vous croyez que j'invente ? Ceci est la Bible des statisticiens. On y apprend des choses prodigieuses, et entre autres, que le hasard existe. Figurez-vous qu'en 1920, un individu de l'Alabama condamné à la chaise électrique a tenté de s'évader la veille de son exécution et est mort foudroyé par un éclair alors qu'il franchissait le mur du pénitencier. Au même moment, dans le Nevada, un autre prisonnier, lui aussi condamné à la chaise électrique, meurt dans des circonstances identiques, également foudroyé pendant un orage alors qu'il tente de s'évader. Les probabilités d'une telle chance étaient de 1 sur 4 952 892 738. Pour qu'on accepte la vraisemblance de votre hasard, il faudrait qu'au moins mille condamnés meurent foudroyés le même jour en essayant de s'enfuir. Il faudrait pour égaler ce hasard que naissent, à raison de vingt par jour, et ce pendant huit mois consécutifs, des pingouins albinos issus d'une portée génétiquement normale. Que six cent vingt-huit avions, ayant successivement décollé de La Guardia le même jour, aillent, tous sans exception, s'égarer dans le triangle des Bermudes.

DAWN GRISANTI *(fière)*. Et à combien pouvez-vous chiffrer la probabilité que toute cette affaire soit le résultat d'une erreur stupide à la base ? Stupide mais colossale ? Comme il peut en arriver tous les jours chez n'importe quel éditeur ? Martina North m'avait soumis son manuscrit. Nous nous étions rencontrées, en avril 87, pour évaluer la possibilité d'une coédition avec une maison en Amérique du Sud dont nous avions rencontré l'attaché de presse à Buenos Aires. Au moment où nous allions sous presse avec le manuscrit d'Eric Mahoney, le manuscrit de Martina North était sur mon bureau, figurez-vous.

FRANK CAROUBIER *(embarrassé).* Nos fournisseurs nous avaient lancé un ultimatum. Déjà que j'avais du mal à payer mes meilleurs auteurs. Je me voyais menacé de faillite et c'est moi-même qui avais suggéré à Martina North de songer à un autre éditeur.

DAWN GRISANTI. Vous n'avez jamais été menacé de faillite. Sinon que par Martina North elle-même, dans un de ses moments de colère, parce que vous aviez embauché un attaché de presse qui s'était permis de lui dire que sa réputation était surfaite. N'ai-je pas raison de croire que cette femme prend ombrage de tous ceux qui ne lui lèchent pas le cul ?

MARTINA NORTH. « Un homme qui ne dit que des âneries mais que chacun écoute comme s'il s'agissait de proverbes, simplement parce qu'il a les tempes grises. » Vous disiez cela de Zimoviev. Et moi je vous écoutais parce que vous étiez chauve. Dès 1954, vous prétendiez pouvoir amplifier ma carrière aussi rapidement que se forment des nuages par des journées de canicule. Mais trente ans plus tard nous n'étions plus d'accord, vous m'avez humiliée en engageant cet attaché de presse, et ce jour-là, mon cher Frank, en plus de devoir changer d'air, oui, j'ai bien failli changer d'éditeur.

FRANK CAROUBIER *(hors de lui).* Et vous lui avez soumis un manuscrit !

MARTINA NORTH. Lui soumettre quoi alors ? Mon curriculum vitæ ? Et pourquoi pas ma photo ?

FRANK CAROUBIER *(à Dawn Grisanti).* Ainsi, Mahoney affirmerait à présent qu'il n'a jamais écrit le passage de l'*Indiana* ?

DAWN GRISANTI. Comment le saurait-il ? Savez-vous ce que représentent quatre-vingt-trois lignes pour un écrivain capable d'écrire des centaines de pages en une semaine ? Trouvez-moi cela dans votre Bible des statisticiens.

FRANK CAROUBIER. N'essayez pas.

DAWN GRISANTI. Vous et moi ne sommes pas des écrivains, aussi j'admets...

FRANK CAROUBIER. N'essayez pas. Un écrivain se souvient de ce qu'il a écrit.

DAWN GRISANTI. Dieu sait que oui ! Lorsque son livre est sorti des presses, qu'il l'a enfin tenu entre ses mains, qu'il l'a feuilleté, il s'est souvenu forcément de l'avoir écrit. Richardson, la cause islamique, tout est là, c'est bien son livre à lui, son style, y compris un certain passage qu'il a forcément écrit, puisqu'il le voit, là, sous ses yeux. Vous souvenez-vous par cœur de chaque mot que vous avez employés lors de vos rapports de lecture ?

FRANK CAROUBIER. Oh que oui.

DAWN GRISANTI. Il vous faut consulter les archives. Et si l'on vous apporte par erreur le rapport d'un de vos directeurs de collection...

FRANK CAROUBIER. Je constaterais l'erreur.

DAWN GRISANTI. Tôt ou tard, j'en conviens. Mais pas de prime abord. Si vous n'aimez pas le mot hasard, parlons alors d'un cas d'exception. Encore que chez nous, une pareille incurie semble être la règle, je l'admets.

FRANK CAROUBIER (*furieux, à Martina North*). Vous êtes allée chez Grisanti ! Sans m'en parler ! Vous avez pris rendez-vous, vous êtes allées déjeuner ensemble, vous lui avez donné carte blanche ! ! ! Après tout le mal que vous en aviez dit !

DAWN GRISANTI. J'édite de nouveaux auteurs avant même de leur avoir fait signer un contrat. Tout simplement parce que je n'en ai pas le temps !

MARTINA NORTH. Vous m'aviez parlé d'elle comme d'une idiote. Je vous croyais. Je redoutais sa stupidité, oui. Mais à Buenos Aires elle m'avait paru gentille.

DAWN GRISANTI. Nous sommes pauvres. Nous n'avons aucun tiroir, aucune filière.

FRANK CAROUBIER. Et cette impression vous a suffi ! Vous lui avez donné votre roman à lire. Votre roman sur nous deux !

DAWN GRISANTI. Tout est pêle-mêle sur des tables...

MARTINA NORTH. Non mais pensiez-vous que j'allais me faire éditer à compte d'auteur ?

DAWN GRISANTI. Manuscrits !

MARTINA NORTH. Moi ? Martina North ?

DAWN GRISANTI. Factures !

MARTINA NORTH. Connue jusqu'en Australie !

DAWN GRISANTI. Contrats, maquettes !

MARTINA NORTH. Et voilà que je cherche quelqu'un pour m'éditer, comme une mendiante !

DAWN GRISANTI. Téléphone qui ne dérougit pas.

MARTINA NORTH. Mes ennemis auraient eu de quoi rire. Grisanti a eu au moins la charité de m'inviter à déjeuner.

DAWN GRISANTI. Je n'ai que trois employés mais on en dirait vingt-cinq tellement ils sont à la course.

FRANK CAROUBIER. En échange de votre roman sur nous deux !

DAWN GRISANTI. Nous recevons des centaines de manuscrits par année. Des enveloppes qui n'ont jamais été ouvertes. J'ai honte de le dire mais il y a dans nos archives des ouvrages qui n'ont jamais été lus et qu'on a publiés ailleurs.

MARTINA NORTH. L'andouille ! A présent je peux vous le dire. Elle avait eu l'insolence de me demander l'exclusivité de mon œuvre. Vous vous rendez compte, pour plaire à Grisanti, il aurait fallu que je me brouille à demeure avec vous que je tenais pour l'homme le plus estimable du monde.

FRANK CAROUBIER. Alors pourquoi donc étiez-vous chez Grisanti ?

MARTINA NORTH. Parce que vous étiez un traître.

DAWN GRISANTI. Tous ces manuscrits sont là, à portée de la main, la plupart en deux exemplaires.

FRANK CAROUBIER *(à Dawn Grisanti)*. Et vous soutenez que le manuscrit de Martina North faisait partie de cette paperasse au moment où le roman d'Eric Mahoney était en fabrication ?

DAWN GRISANTI. Entendons-nous : le livre de Martina North avait été publié par vous deux ans auparavant. Mais chez nous, il s'agit toujours d'un manuscrit parmi d'autres.

MARTINA NORTH. Enfin, c'est vous qui avez toujours prétendu qu'un manque de loyauté est une faute grave. Vous êtes le seul artisan de ces malentendus, mon cher Frank, et c'est moi qui ai la réputation de nuire !

DAWN GRISANTI. Dont les feuilles sont là, pêle-mêle, en désordre, confondues avec les ouvrages qu'on est censé éditer. Et je me souviens d'avoir donné l'ordre qu'on publie *La Traversée de la mer Rouge* toutes affaires cessantes.

MARTINA NORTH. Je me brise afin de m'arracher d'un monde et je suis reçue dans un deuxième monde où l'on a remplacé des roches par des clous. Et cela a beau durer depuis des lustres, figurez-vous que je ne me suis toujours pas habituée à l'injustice dont je suis la cible perpétuelle.

FRANK CAROUBIER. Parce que tout était déjà convenu avec le jury de la Fondation In-Quarto.

DAWN GRISANTI. Pour convenir d'un tel exploit, il faut de l'intelligence, mon cher Frank. Or il paraît que je n'en ai pas.

MARTINA NORTH. Encore ce matin dans le *Times*, tenez, « Martina North, deux points : LE PLAGIAT DOIT ÊTRE PUNI PAR LA PEINE DE MORT ! »

DAWN GRISANTI. Dorénavant quand vous direz que je suis stupide, vous pourrez ajouter : « Et elle le sait. »

MARTINA NORTH ET FRANK CAROUBIER. Je n'ai jamais dit cela !

MARTINA NORTH. Si je l'ai dit, je veux savoir quand et où ! Voici le numéro où les rejoindre – et je vous préviens : s'il n'y a pas de démenti dans l'édition de demain, je demande les services de Grisanti, elle au moins est capable de tout pour obtenir gain de cause, car si je vous ai bien compris, d'ici huit jours, c'est moi qui serai accusée de plagiat – et c'est moi qui serai passible de la peine de mort ! Et ce sera bien fait car apparemment c'est moi qui l'ai déclaré ! Alors que je n'ai jamais dit cela, jamais ! *(Un temps.)* Dieu sait pourtant que je le pense !

FRANK CAROUBIER *(à Dawn Grisanti, sur l'offensive).* Mais attendez... Comment peut-on penser qu'une pile de feuillets mélangés se soit agencée accidentellement au manuscrit initial, et de telle sorte que le livre à sa parution ne présente aucune erreur ?

DAWN GRISANTI. Vous interrogerez Christopher Kaine. Cet homme était payé pour s'assurer qu'il n'y avait pas d'erreur. Devant l'incohérence des feuillets mélangés, il aura reconstitué le casse-tête au mieux de ses compétences. *(Un temps.)* Enfin, voilà où j'en suis dans ma compréhension du « miracle ». *(Un temps.)* Depuis quand connaissez-vous Eric Mahoney ?

1ᵉʳ septembre 1987

FRANK CAROUBIER *(remettant son manuscrit à Eric Mahoney)*. C'est l'œuvre d'une vie. Ce roman se tient, il porte sa signature ; votre nom, Eric Mahoney, ne restera pas inconnu. Ce que je vous propose en échange, c'est ce que réclame votre pharaon : l'immortalité. Ce roman va vous propulser vers les zones les plus éloignées de la terre – on va vous traduire, vous serez acclamé, c'est vous qu'on associera dans le secret de son cœur à l'image du créateur auquel on va dédier des temples. On franchira de longs parcours à la recherche de votre puissance invisible. A condition bien sûr que je ne devienne jamais votre éditeur.

ERIC MAHONEY. Vous m'aviez dit que vous essaieriez de vous réconcilier avec la Fondation. Je veux ce prix ! Vous me l'avez promis.

FRANK CAROUBIER. Vous l'aurez. Mais je ne veux pas dépendre d'eux. Je me suis promis que vous iriez loin ; j'en ai mis d'autres au monde, ils sont tous allés loin.

ERIC MAHONEY. Mais je vous devrai tout ! C'est insupportable.

FRANK CAROUBIER. Et moi ? Je vous dois d'avoir donné de la fantaisie à mon métier. D'une plaquette de vingt pages vous m'avez permis de participer à la naissance de Richardson, j'ai plongé, j'ai observé le cours de la descente et je pourfends la surface de l'eau en me disant que rien n'est trop beau. Vous m'avez procuré cette jouissance et je vous en serai toujours reconnaissant. Elle s'appelle Grisanti. Elle a commencé dans l'édition il y a quelques années et survit tant bien que mal, faute de pharaon, en éditant les fameux livres de la collection « Comment ? » : *Comment gagner à la loterie ?, Comment être bien dans sa peau ?* et *Comment garder la forme sans se priver de bonnes choses ?* Voyez, vous étiez faits l'un pour l'autre. Votre première impression sera sans doute un peu négative. Ne vous fiez pas aux apparences. Elle est éparpillée, distraite, elle est du genre dont les orteils remuent toujours dans ses souliers, mais elle compte beaucoup d'amis rue du Château-Grisâtre. Ils n'ont jamais décerné leur prix à un écrivain qui n'en est qu'à son premier roman. Vous devrez sans doute attendre au second.

ERIC MAHONEY. Parce qu'il y aura un second roman ? Parce que tout sera à refaire ? Toutes ces nuits blanches ? Tous ces remords, toutes ces tuniques dont il faut toujours se vêtir et se dévêtir ? Ressusciter l'homme dont je ne finis plus d'extirper les momies, ce pharaon qui me hante, jour et nuit ?

FRANK CAROUBIER. Je vous l'avais dit. Votre pharaon n'est pas mort.

ERIC MAHONEY. Taisez-vous. Il n'y aura pas de second roman.

FRANK CAROUBIER. Écoutez-moi bien, Eric Mahoney. Je ne vous ai pas consacré tout ce temps pour vous voir disparaître en un seul jour.

ERIC MAHONEY. Je ne veux plus du prix de la Fondation In-Quarto. Je veux être publié par l'éditeur de Martina North.

FRANK CAROUBIER. Si vous voulez vraiment que tout s'effondre...

ERIC MAHONEY. Je veux être publié par l'éditeur de Martina North.

FRANK CAROUBIER. Dites-vous que je serai toujours là. Présent mais insaisissable, ignoré mais sachant tout ce que sait le créateur, et je vous assure de notre somme vitale aussi profondément que si nous avions gravé dans la pierre les sceaux de notre accord. A présent, soyez généreux. Soyez-le pour vous-même. Allez chez Grisanti. Ensemble, vous irez loin. Si vous restez ici, vous ne serez jamais que l'ombre de Martina

North. A ses côtés, on ne saurait tolérer que des silhouettes, jamais d'éclat. Ne privez pas votre pharaon de lumière.

ERIC MAHONEY. Comment me présenter à Grisanti? Comment lui ouvrir les portes de ce roman?

FRANK CAROUBIER. Vous ne me connaissez pas. Tout ceci vous appartient, vous êtes le seul maître d'œuvre. On se demanderait pourquoi Caroubier, un homme qui sait lire, aurait laissé filer un si beau manuscrit. Vous avez écrit ce roman en quatre jours. Un roman de plus de cinq cents pages. Vous vous êtes soûlé sans interruption. Vous n'avez qu'un vague souvenir de ces quatre jours. Quelle sorte d'homme êtes-vous? A ceux qui vous questionneront, dites que des mots, sous votre plume... Non, vous n'écrivez qu'à la machine... sous votre inspiration...

ERIC MAHONEY. Oui...

FRANK CAROUBIER. ... se sont agencés de façon telle qu'un pharaon vous les a insufflés, virgule...

ERIC MAHONEY. Oui...

FRANK CAROUBIER. ... de façon telle qu'aucun lecteur ne peut rester indifférent à la splendeur du soleil, virgule...

ERIC MAHONEY. Oui...

FRANK CAROUBIER. ... ni à la grandeur des déserts, point virgule ;

ERIC MAHONEY. Oui...

FRANK CAROUBIER. ... voilà en somme ce qu'ils vous diront, ces gens qui vous décerneront leur prix, ces gens de la rue des Catacombes, avant qu'ils ne se désagrègent comme des rats dans de l'eau grise.

DAWN GRISANTI. Parlez-moi de l'*Indiana*.

ERIC MAHONEY. C'est un paquebot.

FRANK CAROUBIER. Avez-vous parlé à Donato Conte ?

DAWN GRISANTI. Le *Geland's*, vous connaissez ?

ERIC MAHONEY. Non.

FRANK CAROUBIER. Ce cinéaste.

DAWN GRISANTI. L'annuaire maritime.

MARTINA NORTH. Non.

DAWN GRISANTI. L'encyclopédie des bateaux et de la navigation à travers les siècles. C'est le livre des termes exacts.

MARTINA NORTH. Je n'ai pas retourné son appel.

DAWN GRISANTI. La fascination que vous éprouvez pour l'*Indiana*...

ERIC MAHONEY. Que *vous* éprouvez.

FRANK CAROUBIER. Vous ne retournez plus vos appels !

DAWN GRISANTI. Suite à la lecture d'un roman dont le chapitre consacré à l'*Indiana* m'a profondément bouleversée, je l'admets.

MARTINA NORTH. Parce que vous me l'avez ordonné.

DAWN GRISANTI. Je refuse de croire que son auteur l'ait écrit comme un exercice ordinaire.

MARTINA NORTH. Quoi que vous pensiez, je suis obéissante.

ERIC MAHONEY. Ce passage a été écrit avec le souffle qui lui appartient.

MARTINA NORTH. Que me veut-il, cet ours qui flaire en moi le miel ?

ERIC MAHONEY. Mais il ne faut pas lui accorder plus d'importance qu'au reste.

FRANK CAROUBIER. Il souhaiterait que vous collaboriez au scénario de son film.

MARTINA NORTH. Jamais.

ERIC MAHONEY. Ce passage est fabuleux, comme l'est ce qui précède et ce qui suit.

FRANK CAROUBIER. Il attend impatiemment le dénouement de ce litige.

DAWN GRISANTI. Pourquoi l'*Indiana* ?

MARTINA NORTH. Il n'est pas le seul.

DAWN GRISANTI. Pourquoi l'avoir nommé ainsi ?

ERIC MAHONEY. Parce que j'aimais ce nom.

FRANK CAROUBIER. Si vous lui refusez votre aide, il demandera les services de Mahoney.

MARTINA NORTH. Qu'il le fasse.

ERIC MAHONEY. Je vous dirais bien que l'*Indiana* est un nom typique de paquebot dans les romans mais ceci n'est qu'une impression.

FRANK CAROUBIER. Bien. Nous aurons donc droit à la version de nos ennemis.

DAWN GRISANTI. Pourquoi avoir choisi le nom d'un navire qui a coulé dans les années vingt,

FRANK CAROUBIER. Mahoney va lui déclarer,

DAWN GRISANTI. ... au large du Gotland,

FRANK CAROUBIER. ... avec preuves à l'appui,

DAWN GRISANTI. dans la mer Baltique ?

FRANK CAROUBIER. qu'il est l'auteur du passage de l'*Indiana*.

MARTINA NORTH. Si vous saviez comme je voudrais qu'il ait raison.

ERIC MAHONEY. Vous me l'apprenez.

MARTINA NORTH. Comme je voudrais n'avoir jamais écrit ces lignes ! C'est comme si le fait de les avoir lues sous sa signature me les avait ravies pour toujours.

ERIC MAHONEY. Et cela confirme que nous, bateleurs, n'avons pas besoin d'encyclopédies pour prospecter les naufrages, qu'ils soient réels ou fictifs, passés, présents ou à venir.

MARTINA NORTH. Ainsi, ne les ayant jamais conçues, je les aurais parcourues pour la première fois.

DAWN GRISANTI. Encore que cette encyclopédie aurait pu vous éviter certaines scories en ce qui a trait au lexique. Mais je vois que ni Martina North, ni vous, n'y avez attaché d'importance.

MARTINA NORTH. J'aurais joui de leur effet...

DAWN GRISANTI. Il existe pourtant des différences entre un navire, un paquebot et un voilier.

MARTINA NORTH. ... sans jamais avoir connu l'angoisse de les porter.

ERIC MAHONEY. L'*Indiana* était un paquebot.

DAWN GRISANTI. Que vous avez transformé en bateau de plaisance. « Mâts, guis, cornes et faux-focs », ces pièces de charpente n'existent que sur des voiliers.

MARTINA NORTH. Je me serais laissé bercer dans un bonheur intime pour moi seule. J'aurais béni cet écrivain, le désordre sauvage de son univers, sa longue expérience de l'orage et du deuil malgré qu'il soit si jeune et si beau. *(Contraste.)* Où en sommes-nous dans nos attaques contre ces abrutis qui lui ont décerné leur prix ?

ERIC MAHONEY. Un pareil argument en cour ne peut que vous nuire.

FRANK CAROUBIER. On leur a retiré leur numéro de charité. L'immeuble a été mis en vente.

ERIC MAHONEY. Vous êtes en train de prouver que je n'ai aucune maîtrise.

MARTINA NORTH. Ce vieux château trompe-l'œil au bout d'une pente cahoteuse.

ERIC MAHONEY. Que j'aurais bêtement copié un texte contenant des erreurs.

MARTINA NORTH. Dommage qu'il s'écroule sous les coups de l'État.

ERIC MAHONEY. Or vous décuplez mon désir de sonder le mystère.

MARTINA NORTH. J'avais une lutte à finir avec eux.

ERIC MAHONEY. Martina North et moi aurions commis les mêmes erreurs dues à notre peu de connaissance.

FRANK CAROUBIER. Vous auriez voulu les achever la première ?

ERIC MAHONEY. Prodigieux. Inouï.

MARTINA NORTH. Non.

ERIC MAHONEY. Oui.

MARTINA NORTH. Je comptais sur eux pour qu'ils m'achèvent.

ERIC MAHONEY. De plus en plus fécond.

MARTINA NORTH. Je me console en me disant que je vais peut-être finir sous les coups d'un garnement.

ERIC MAHONEY. Nous avons convoqué le hasard jusqu'à son expression la plus aléatoire.

MARTINA NORTH. Lui au moins, il est jeune.

ERIC MAHONEY. Et nous avons réussi.

MARTINA NORTH. Il sait comment s'y prendre.

ERIC MAHONEY. Pourquoi nous, et pas d'autres ?

MARTINA NORTH. Il a de la puissance.

ERIC MAHONEY. « Mâts, guis, cornes et faux-focs »...

MARTINA NORTH. Frank, je vous supplie de régler cette affaire dans les plus brefs délais. Je me moque de la somme d'argent à laquelle j'ai droit.

ERIC MAHONEY. « On eût dit la densité d'une auréole,

MARTINA NORTH. Si ce jeune homme est un écrivain comme il le prétend,

ERIC MAHONEY. ... figée autour du bâtiment,

MARTINA NORTH. ... sa carrière est compromise,

ERIC MAHONEY. ... enduisant son étrave...

MARTINA NORTH. ... nous n'allons pas le ruiner.

ERIC MAHONEY. ... d'une carpelle de glace...

MARTINA NORTH. Tandis que chaque jour qui s'écoule me procure l'effet d'une roue qui tourne et qui s'accroît, sans cesse, en recyclant ma hargne.

ERIC MAHONEY. Confinant l'ensemble du paquebot, mâts, guis, cornes et faux-focs...

DAWN GRISANTI. Continuez.

ERIC MAHONEY. ... à l'extrême solitude... d'une femme hystérique et silencieuse... dans l'aberration de ses vestiges »...

DAWN GRISANTI. Qui est cette femme hystérique et silencieuse ?

ERIC MAHONEY. Ne vous est-il jamais arrivé d'entendre une musique, extrêmement précise, sans savoir d'où elle vient ? Vous connaissez cette pièce depuis avant votre naissance. Un jour, on vous apprend que c'est de Zimoviev, mais vous savez que c'est en vous que cette musique existe, qu'elle vous a précédée, aussi bien qu'elle avait précédé Zimoviev.

MARTINA NORTH. Au fait, mon assureur vous a-t-il mis au courant ? Il refuse de me rembourser les huit cents dollars que valaient ces dessins de Bernard Malamud qu'on m'a volés.

DAWN GRISANTI. Dites-moi que vous avez consulté cette encyclopédie.

MARTINA NORTH. Il ne veut pas non plus me rembourser mes écharpes de soie égyptienne.

DAWN GRISANTI. C'est la seule à ma connaissance qui décrive exactement l'architecture, la longueur et la forme de ce bateau tel qu'on peut l'entrevoir dans votre roman.

MARTINA NORTH. Sous prétexte que je n'ai pas conservé les factures.

ERIC MAHONEY. Ceci est une question triviale.

FRANK CAROUBIER. Vous allez me dresser une liste de tout ce qui a disparu.

MARTINA NORTH. J'ai passé des heures l'autre jour à écrire cette liste. Mais je ne sais plus où je l'ai mise.

FRANK CAROUBIER *(lui montrant la liste)*. Et ça, qu'est-ce que c'est ?

Enchaîner les codas 1 et 2 simultanément.

Coda 1

ERIC MAHONEY. Je n'ai jamais consulté ce livre.

DAWN GRISANTI. Deux cent quatre-vingts pieds de longueur. Huit canots de chaque côté, de couleur gris et blanc. Outre les termes « mâts, guis, cornes et faux-focs », les descriptions que Martina North et vous-même faites de l'*Indiana* sont en tous points conformes à la fiche technique qu'on peut lire ici, dans le *Geland's*.

ERIC MAHONEY. « Confinant l'ensemble du paquebot, mâts, guis, cornes et faux-focs »...

DAWN GRISANTI. Continuez...

ERIC MAHONEY. « A l'extrême solitude d'une femme »...

DAWN GRISANTI. Continuez...

ERIC MAHONEY. Hystérique. Hystérique. Hystérique.

DAWN GRISANTI. Je vous en supplie : comment avez-vous appris l'existence de ce paquebot ? Je vous demande une réponse triviale.

Coda 2

MARTINA NORTH. Il faut y ajouter mon album de photos.

FRANK CAROUBIER. « Album de photos. »

MARTINA NORTH. J'ai voulu le consulter ce matin pour constater que je ne l'ai plus.

FRANK CAROUBIER. Et vos appuis-livres.

MARTINA NORTH. Et mes appuis-livres.

FRANK CAROUBIER. Balance d'étain. Bas de nylon. Bâton de colle. Bière importée du Danemark. Boucles d'oreilles. Bouddha. Bougeoir. Boussole. Briquets. Cachemire. Cahiers de notes. Calendrier. Camaïeu imitation de pierres fines. Canezou. Carnets d'adresses.

MARTINA NORTH. Vous oubliez : « Capo di Monte. »

FRANK CAROUBIER. « Capo di Monte. » Carnets d'adresses. Cartes géographiques. Carte du ciel. Cartouches d'encre. Casse-noisettes. Ceintures. Cendriers.

ERIC MAHONEY. Une réponse triviale ? J'en ai une. Mais si triviale que vous risquez d'être déçue.

DAWN GRISANTI. Il faut que je sache.

ERIC MAHONEY. Chez les Coopérants de Bonne Volonté.

DAWN GRISANTI. Qui sont ces gens ?

ERIC MAHONEY. Ils travaillent à la Restructuration du Monde Exponentiel.

DAWN GRISANTI. Une secte ? Là où vous travaillez ? Attendez, vous êtes bénévole ? Qui sont ces restructurateurs ?

ERIC MAHONEY. Des gens dévoués. Ils vous apprennent à ouvrir les mains et à recevoir.

DAWN GRISANTI. Recevoir ?

ERIC MAHONEY. Angle Chestnut et Union. Vous n'avez qu'à vous y rendre. Vous le verrez, sur une affiche, en noir et blanc, près de l'étendard, c'est écrit, en toutes lettres : *IN-DIANA*. Cela doit faire au moins deux ans que nous l'avons. Vous le verrez, vous n'aurez qu'à demander au responsable à l'accueil. Vous vous présenterez en disant que je suis votre guide. Aussitôt, vous n'aurez qu'à tendre les

Chaînes. Châles. Chandeliers. Chapeaux. Chaussures. Chevaux d'albâtre. Clés. Collection de bêtes de somme miniatures. Collection de cartes postales. Collection de signets. Colliers de fausses perles. Compas. Comprimés. Coquillages. Corsages. Couronnes scandinaves. Crayons de couleur. Crèche de Noël achetée en Tchécoslovaquie. Cuillère à soupe. Dé. Décoration.

MARTINA NORTH. Ici, il faut ajouter : « Dessins de Bernard Malamud. »

FRANK CAROUBIER. « Dessins de Bernard Malamud. » Diapason. Dictionnaire. Disques et cassettes. Diptyque de Saint-Pétersbourg. Écharpes. Enluminures.

MARTINA NORTH. Je me fiche de mes enluminures.

FRANK CAROUBIER. Entonnoir. Enveloppes. Épingles. Estampes chinoises (*La Capture des cigales*). Étuis divers. Faïence de Sceaux. Fer à repasser. Fichus. Figurines de plâtre. Flacons de parfum. Flûte à bec. Fossiles. Fourchette d'étain.

MARTINA NORTH. Ce que je veux, c'est mon album.

FRANK CAROUBIER. Gaines. Genouillère. Gerbe d'épis. Gi-

mains, ils vont tout vous donner, à condition que vous acceptiez de tout recevoir.

DAWN GRISANTI. Et elle ? Qui est-ce ? Peut-on aussi la voir sur l'affiche ? Est-ce parce que vous refusez de me le dire, ou parce que vous ignorez qui est cette femme hystérique et silencieuse ?

rouette miniature en bronze doré. Gobelin miniature (*Cheval de Troie*). Goélette paimpolaise. Gomme à effacer. Grade d'officier ayant appartenu à votre père. Guide du musée Guggenheim. Gyroscope. Hibou et hippocampes. Histrion de plâtre. Igloo de sucre. Jetons de présence (syndicat des auteurs). Jeu de cartes. Jumelles d'opéra. Jupes. Jupons. Justaucorps. Kilt. Koto. Lampes de chevet. Lampe de poche. Lime à ongles. Livres – Pio Bardelli, D'Annunzio, Lester, Poe. Livres d'art, de cuisine, de détente...

MARTINA NORTH. *Comment vous détendre ?*, de Mélisande Sigouin que m'avait prêté Grisanti. Je lui dois ce livre. On me vole ce que je dois aux autres !

FRANK CAROUBIER. Et de géographie. Livres sterling. Lotions. Lutins en bois. Médaille d'honneur du Congrès. Médaillon – portrait d'un chat. Méthode de solfège des Sœurs Bethsabé. Métronome. Miroir à maquillage. Nappe de dentelle. *L'Oiseau prophète* de Schumann. Opus 109 de Beethoven. Paire de ciseaux. Paire de gants. Pantoufles. Papier à lettre. Papier dactylo. Papier sablé. Papillon de collection. Partition de *Madama*

Butterfly. Peigne. Pendentif. Pendule. Petit flacon contenant du mercure. Piédouches. Pierre des ruisseaux. Pile d'errata. Plan de Paris. Point d'Alençon. Porte-cigarettes. Porte-clés. Pot en céladon. Poudre d'émeri. Poupées anciennes. Poupées de cire. Rapporteur d'angles. Reproduction du *Cri* d'Edvard Munch. Réveil-matin. Robe couleur bleu océan. Robe de chambre. Robes d'intérieur. Rouge à lèvres. Savons. Soucoupes. Soutiens-gorge. Statuettes africaines. Stylos. *Suite lyrique* de Grieg. Tasse de céramique. Testament. Trombones. Ustensiles. Verres fumés. Vestes. La *Sonate Waldstein* de Beethoven, la *Wanderer Fantaisie* de Schubert. Cantates de Zézère, et *Zéfiro* de Zimoviev.

On entend la pièce de Zimoviev jusqu'au début de la scène suivante.

MARTINA NORTH. Pourquoi chercher midi à quatorze heures ? C'est moi. Vous n'avez qu'à interroger le milieu littéraire. Depuis que cette affaire a éclaté, je suis aux yeux du plus grand nombre une femme hystérique dans l'aberration de mes machins. Comme quoi j'avais entrevu l'avenir, non pas le séisme en tant que tel, mais la personne dévastée que je suis, et qui a survécu. Cela dit, nulle surprise à l'effet que je sois celle qui ponde, et qui sorte en même temps de son œuf. La délirante, c'est moi. Mary Kingley, c'est moi. Madame Bovary, c'est moi. Désirez-vous de la bière ? On me l'importe du Danemark.

DAWN GRISANTI. Merci.

Martina North arrête le disque de Zimoviev.

MARTINA NORTH. Vous aimez Zobrovika ?

DAWN GRISANTI. Ce n'était pas Zimoviev ?

MARTINA NORTH (*consultant l'étiquette*). Vous avez raison. Zimoviev. (*Plaisantant.*) La dilettante, c'est moi ! (*Un temps.*) Il en va de nous comme de la terre avec ses pôles magnétiques. Nous sommes des arbres, d'est en ouest, incluant des sentiers, des rivières. Sans nous en rendre compte nous sommes pourtant attirés par les pôles. Zézère, Zobrovika. Entre les deux, Zimoviev. Zimoviev, c'est un peu nous tous.

DAWN GRISANTI. Ce doit être que nous sommes des aimants.

MARTINA NORTH. Oui car nous buvons du fer. Peut-être que certains jours, nous en abusons, et ce petit minéral fait bifurquer l'itinéraire.

DAWN GRISANTI. Comme moi ce matin, qui n'ai pu m'empêcher de vous appeler alors que j'avais deux rendez-vous.

MARTINA NORTH. Tentation d'autant plus forte que j'habite au nord. *(Autre ton.)* Pourquoi cette visite ? Frank Caroubier n'apprécierait pas vos manœuvres.

DAWN GRISANTI. Je n'ai pas l'intention d'agir dans son dos. *(Un temps.)* Je voulais vous dire, Madame Martina North, combien toute cette affaire...

MARTINA NORTH. Je crois que vous êtes venue pour me poser des questions. A propos de l'*Indiana*.

DAWN GRISANTI. Je suis venue vous dire que ce passage de l'*Indiana* m'a profondément bouleversée. Il faut que vous sachiez quelle a été ma consternation quand j'ai appris que c'était justement ce passage qu'Eric Mahoney...

MARTINA NORTH. Vous êtes tenue de défendre cet homme. Le fait de parler contre lui dans ma demeure peut s'avérer comme un manque à votre code d'éthique. Du reste, je n'ai besoin de personne pour me convaincre que votre écrivain est un individu qui ne mérite pas mon estime.

DAWN GRISANTI. Malgré ce qu'on lui reproche, Eric Mahoney est d'une grande humanité. Il y a chez lui ce courage insolite avec lequel il est persuadé de son innocence, plus que n'importe qui ne saurait l'être, devant l'absurde, devant l'irréel...

MARTINA NORTH. Et surtout devant la bêtise. Cet homme m'a ruinée. Je ne prétends pas qu'il a plagié mon roman à mon avis le mieux réussi. Je ne peux plus l'affirmer car il existe une protection quasi divine à ce que je vois, pour ces individus qui se servent de nos biens sans en demander la permission. Vous, hommes et femmes de diffusion, vous faites votre métier. Vous êtes des gens du mercredi, vous vendez votre salade. Quant à moi, je ne sais trop comment me plaindre du sort ; je dors peu car j'entends la nuit les gris-gris du démon dans mon oreille.

DAWN GRISANTI. J'aurais souhaité...

MARTINA NORTH. Souhaité quoi? Que cela ne se soit jamais produit je suppose? Nous ne choisissons pas.

DAWN GRISANTI. Vous connaissez la thèse que nous entendons défendre.

MARTINA NORTH. Le hasard.

DAWN GRISANTI. Une défense plutôt singulière, je le reconnais.

MARTINA NORTH. T, t, t! Vous l'endossez.

DAWN GRISANTI. Et j'en assume toute l'incongruité.

MARTINA NORTH. Encore là je vous arrête. Ce dont monsieur Mahoney se dit persuadé, à savoir qu'il se serait donné la peine d'inventer ce que j'avais déjà inventé avant lui, cela n'est pas dépourvu d'intérêt. Je ne vous dis pas qu'il a raison. Je ne vous dis pas qu'il a tort. Je dis simplement que ce que nous ne comprenons pas pourrait, peut-être, je dis bien peut-être, se manifester.

DAWN GRISANTI. Cet homme est à ce point persuadé de son innocence...

MARTINA NORTH. Quoi qu'il advienne, je n'aurais pas la capacité de comprendre son innocence. Or je ne comprends toujours pas pourquoi il serait coupable. N'ayant jamais plagié, je ne puis me mettre dans la peau de ceux qui le font. Je ne puis croire que ces êtres-là existent, même si je sais qu'ils existent.

DAWN GRISANTI. Vous admettez pourtant que ce qui nous échappe pourrait peut-être se produire?

MARTINA NORTH. Je ne le sais plus. Il y a « peut-être » et « peut-être ». Je ne sais plus ce en quoi j'ai la foi. Mes clés me servent d'exemple. Certains jours je les égare, et puis, tant j'ai beau les chercher, je me surprends, comment dire, à mettre en doute le bien-fondé de leur existence. J'ai si peu de prise sur ces choses irréelles que sont les clés, les agendas, les statuettes africaines, tout ce qu'on perd, ces objets qui révèlent leur importance une fois qu'on ne les a plus.

DAWN GRISANTI. Ces objets ne sont-ils pas encombrants pour quelqu'un qui n'y attache pas vraiment d'importance ? Un trousseau de clés n'a rien d'irréel.

MARTINA NORTH. Vous parlez comme Frank Caroubier. Il vous suffirait pourtant de perdre la clé de votre maison une seule fois pour comprendre à quel point c'est toute votre intimité que vous avez abandonnée quelque part. A-t-on déjà dévalisé votre garde-robe ? Sans aucune trace d'effraction. Vous ne pouvez pas porter plainte car ce sont là des choses qui n'arrivent qu'à vous. Vous ouvrez la porte, vous constatez que ce à quoi vous teniez le plus a disparu. Non pas vos ensembles les plus coûteux, mais la robe couleur océan que vous portiez tous les jours, et qui s'accordait à vos états d'âme. Et vous finissez par vous convaincre que vous aviez besoin de vous nuire, que vous avez fait un colis avec une partie de votre âme, et puis vous avez tout bonnement destiné ce colis aux pauvres. Mais je vous dis tout cela sans savoir si je ne l'ai pas simplement égarée dans une malle – on fait tant de choses. *(Un temps.)* Cela, ou le passage d'un roman que vous avez, volontairement mais à votre insu, égaré dans le livre de quelqu'un d'autre. Je ne perds que les objets qui me sont absolument nécessaires. Voilà pourquoi j'estime que je suis folle.

DAWN GRISANTI. Vous lui auriez dit : « Ceci m'appartient, et je vous le donne » ? Allons !

MARTINA NORTH. « A vous d'écrire un roman qui puisse contenir ce passage. » *(Un temps.)* Il y a parfois dans la tête des gens, souvent dans mon cas, une musique qui revient sans cesse. On ne sait pas d'où elle vient, à quand remonte la dernière fois qu'on l'a entendue, qui l'a composée. Il s'agit d'un air très précis, et non pas d'une simple improvisation. Or cette musique est en nous. D'où vient-elle ? Si moi je l'entends, pourquoi d'autres ne pourraient-ils pas aussi l'avoir entendue ? Et pourquoi n'en serait-il pas de même avec les mots, avec le passage entier d'un roman ? Avez-vous lu *La Traversée de la mer Rouge* ? Au-delà des similitudes, d'une préoccupation bien légitime pour la réalité de la circoncision, de l'excision, et de toute forme de molestation reliée à des pratiques admises chez nos semblables, ne concevez-vous pas que ce livre est un ouvrage remarquable ? Qu'importe la façon que les autres ont de nous juger ? Qu'importent nos pauvres personnalités ? Qu'importe la susceptibilité d'une femme, comment disais-je ? hystérique et silencieuse, dans la déraison de ses vertiges, ivre sur l'écume, gelée dans sa clémence ? Vous êtes sûre que vous ne voulez rien boire ?

DAWN GRISANTI. Je dois partir.

MARTINA NORTH. Vous avez rendez-vous ?

DAWN GRISANTI. Oui.

MARTINA NORTH. Avec lui ? Il ne faut pas me croire uniquement lorsque la langue me fourche. Mais je ne tiens pas à ce que vous lui rapportiez mes éloges. Ils demeurent des propos de femme ivre sur l'écume, et gelée dans sa clémence. Absolument. Cette femme est mon portrait tout craché. A propos, vous me demandiez d'où m'était venue l'idée de ce paquebot qui s'appelle l'*Indiana* ? Sachez que je suis venue au monde avec le nom de l'*Indiana* dans ma mémoire. Vous pouvez consulter à ce sujet le *Geland's*. A la rubrique des naufrages, vous verrez, il y a la liste de ceux qui ont péri à bord de l'*Indiana*, au large du Gotland, dans la mer Baltique. Les noms de Richard et de Katarina North y figurent.

DAWN GRISANTI. Vos parents, n'est-ce pas ?

MARTINA NORTH. Mais je ne les ai pas connus.

28 décembre

FRANK CAROUBIER. Des hypothèses récentes tendent à démontrer que des puces sorties d'un même œuf adoptent des comportements identiques bien qu'elles soient séparées dès la naissance. On parle d'un phénomène d'empreinte qui serait à la base de la créativité chez la puce, ce qui équivaudrait à la notion d'inspiration chez les humains. Il suffirait de tenter l'expérience et d'isoler deux puces dans deux lits jumeaux séparés par une cloison hermétique pour constater que la puce Numéro 1 emprunterait le même itinéraire que la puce Numéro 2, accomplirait les mêmes détours, déposerait ses œufs au même endroit et à la même fraction de seconde que sa sœur, atteindrait l'oreiller par le même nombre de bonds, et toutes deux finiraient leur épopée, sans s'être jamais consultées, au même endroit, soit sur la chatte endormie ou soit dans sa litière.

DAWN GRISANTI. Je suis allée angle Chestnut et Union, chez les Restructurateurs du Monde Exponentiel.

FRANK CAROUBIER. Vous avez vu l'affiche ?

DAWN GRISANTI. Ils ne l'ont plus. Ou elle n'a jamais existé.

FRANK CAROUBIER. Qu'est-ce que je vous disais !

DAWN GRISANTI. Le fondateur de la secte pourrait me renseigner car lui seul détient le Livre de la Compilation des objets reçus et des objets donnés. Encore qu'en vertu d'un de leurs chapitres, les noms des bienfaiteurs et ceux des bénéficiaires ne doivent pas se divulguer, car les Coopérants assurent l'alchimie des identités. Dès que vous leur apportez une obole, vous devenez le Trait d'Union entre le lieu et le non-lieu, l'être et le non-être, le Don et le non-Don, le Oui et le non-Oui, et le Nom et le non-Nom.

FRANK CAROUBIER. Qu'est-ce que je vous disais !

DAWN GRISANTI. On m'a beaucoup parlé de Katarina Moon Atha.

FRANK CAROUBIER. Qui est-ce ?

DAWN GRISANTI. L'épouse sanscrite du fondateur. Au sens figuré bien sûr. Elle parle anglais comme tout le monde et ne se révèle à lui que par le biais des livres. Stupide à mon habitude, je me suis dit : « Livres... Tiens, il y a là anguille sous roche. » Mais non : elle ne lui envoie que des factures. Figurez-vous que le magicien d'Elbeuf leur coûte la peau des fesses.

FRANK CAROUBIER. Qui est-ce ?

DAWN GRISANTI. Un acteur de théâtre qui s'est recyclé dans la magie et qui a inventé un truc pour permettre à Katarina Moon Atha de léviter.

FRANK CAROUBIER. Et ça marche ?

DAWN GRISANTI. Seulement les mardis. Les autres jours, les forces de l'univers, qui feraient bouger les montagnes, sont inopérantes pour elle. On l'aurait déjà vue léviter un mercredi, mais après trois secondes, alors qu'elle était à un mètre du sol, elle a vacillé, tous l'ont vue s'incliner à l'horizontale puis elle est tombée face contre terre, certains ont crié que c'était l'apocalypse.

FRANK CAROUBIER. Elle s'est blessée ?

DAWN GRISANTI. Elle s'est mordu la langue et elle saignait du nez.

FRANK CAROUBIER. De qui tenez-vous tous ces renseignements ?

DAWN GRISANTI. D'un Italien qui coordonne les services d'accueil, attendez... Donato Conte. Un cinéaste sans le sou à qui le fondateur a promis un scénario en échange de ses services bénévoles à la Restructuration.

FRANK CAROUBIER. Donato Conte ! Vous voulez rire !

DAWN GRISANTI. Cela vous étonne ? Au début, ces bénévoles m'ont regardée avec circonspection, car nul n'est censé connaître l'endroit où ils se réunissent à moins d'y avoir été referé par un des leurs. Il a donc fallu leur révéler l'identité de mon guide.

FRANK CAROUBIER. Vous leur avez donc donné le nom d'Eric Mahoney ?

DAWN GRISANTI. Non, mon cher Frank. Je vous parle du double. Pour obtenir autant de renseignements, il a bien fallu que je dise le nom de leur fondateur : Frank Caroubier.

31 décembre

MARTINA NORTH. Les rues sont impraticables. Il y a des patinoires à toutes les intersections. Si ce n'était de ces neiges folles qui nous dissolvent, je vous dirais volontiers que je repasserais, mais il est vrai que l'urgence avec laquelle vous me faites signe depuis, enfin depuis que nous nous connaissons, m'incite à honorer l'invitation que Grisanti m'a transmise. Peut-être aviez-vous oublié notre rendez-vous ? Suis-je venue « Trop » tôt, ou « Trop » tard ? A moins que je ne sois que « Trop » à l'heure ? Un bruit court à l'effet que nous nous serions déclaré vous et moi une guerre impitoyable. On a rapporté de moi des paroles que je ne me souviens pas d'avoir dites. On a sans doute essayé de vous arracher des aveux. Je ne suis pas venue pour me défendre de ce que j'aie pu dire ou penser. On dit tant de choses. Et nous pensons, oui, nous pensons, jusqu'au vertige, car il a dû se produire quelque chose à l'origine, en pénitence de quoi nous sommes condamnés à penser. Quand ma tête s'est fracassée sur le passage de l'*Indiana* où je séjournais, j'ai commis l'erreur de m'avancer en un lieu compatible avec les bonheurs tant attendus d'une vie qui ne nous aurait apporté que de la misère et de la désolation. De quoi serait faite pour vous la gloire ? Pour moi c'est un océan qui s'entrouvre comme la mer Rouge s'est entrouverte sous le commandement de Dieu, qui voulait épargner l'humiliation à son peuple. Puis la mer s'est refermée sur l'armée puissante d'Égypte, qui espérait conquérir et emprisonner les enfants de la pureté. Or les eaux de la mer Baltique, en se refermant sur le paquebot évoqué dans les romans qui portent nos signatures, elles n'avaient rien pour moi d'une libération. La mer Baltique s'est refermée comme une masse de froideur, avec l'indifférence du gel, sur ce que j'avais de plus trivial en ce monde : une preuve de moi-même. J'ai beaucoup parlé avec mon éditeur d'intenter des poursuites contre la mer Baltique, mais le code criminel américain semble réfractaire à l'idée de citer de l'eau à la barre. Qui poursuivre alors ? Qu'étaient devenus les bâtisseurs de l'*Indiana* ? Quiconque avait fait naître ce navire méritait d'être poursuivi, mais ils étaient morts depuis longtemps, et les témoins du naufrage s'étaient noyés. Quant à moi, je fais partie de ces gens qui ne sont pas capables d'haïr plus que la machine ne le permet. La haine devient un être autonome, une femme identique à soi-même, qui se voit soudain dans son miroir, et découvre qu'elle n'est qu'un reflet insipide de quelque chose... de quelque chose oubliée... de quelque chose qui continue d'exister sans se souvenir de ce pourquoi elle existe. Pour moi l'*Indiana* est donc devenu ce vaste berceau où le bonheur éternel jaillit d'une source impérissable, où l'eau m'engloutit sans jamais me noyer. Pourtant, c'est le pont de ce bâtiment fantôme qui avait assiégé chaque nuit de mon enfance, alors que l'image de ceux qui s'y trouvaient, anonymes parmi la foule, au moment où la sirène annonçait la grande traversée, m'adressaient leur dernier regard. Il existait une photographie de ces adieux de Richard et de Katarina dans mon album. Une photo d'époque, où l'on a peine à croire qu'il fut un instant possible dans le réel d'où l'éternité peut naître. Ils sont là tous les deux, agitant leurs bras contre le vent, entourés de voyageurs, d'hommes et de femmes aux regards inondés de bonheur, de matelots aux cheveux courts, autant de personnages dont chaque vie est un livre semblable à l'autre, tous ont en commun l'ultime chapitre de leur existence, cet *Indiana* qui les transporte, et qui doucement les engouffre en ce qu'ils ont de plus enfoui, leurs amours, le hasard de leur condition, leur rang, leur fortune et la petitesse dérisoire de leur passage en ce bas-monde. C'est pourtant du rire effréné de Richard que je vous parle, et du regard amusé de Katarina. Tant de cordages et tant de manœuvres présidant au tapage du départ devaient certes l'amuser, c'était son premier voyage, elle ignorait que c'était son dernier. Et j'étais là, moi, sur le quai, quoique je ne m'en souvienne pas. C'était entre les deux guerres ; je venais tout juste de naître. Pour ce qui est de la suite, mes nuits furent en effet interminables et c'était dans ce pays de la liberté le seul moyen que j'avais trouvé pour tuer le temps, oublier que je ne parlais pas, que je ne comprenais pas, que je ne m'exprimais pas, que je ne valais pas, que je n'étais pas, qu'il me faudrait attendre d'être morte : écrire. Pour avoir le sentiment, une fois morte, enfin, de vivre. J'étais un naufrage et j'en étais prisonnière. Tout comme vous étiez, peut-être, un naufrage et que vous en étiez prisonnier. Vous et moi ne cherchions qu'une issue, afin de donner libre cours à la chose la plus triomphale qu'il nous avait été donné d'expérimenter avant la paix : sonder le naufrage. Ainsi nous aurions côte à côte emprunté les sentiers qui unissent les déserts à la pureté des étendues, l'océan Atlantique, la mer du Nord, ce Delta de la Lenteur et le Bassin du Repos. Nous naviguons, nous pensons. Quand je pense à qui je suis, je me dis que le temps n'existe pas, pas plus qu'il n'existait avant ma naissance.

ERIC MAHONEY. Que comptez-vous faire à présent ?

MARTINA NORTH. Continuer d'être ce que je suis. La femme-qui-perd. Celle-à-qui-l'on-prend.

ERIC MAHONEY. Qu'attendez-vous de moi ?

MARTINA NORTH. Rien. J'étais curieuse de vous voir. Je vous imaginais fort, exubérant.

ERIC MAHONEY. Je ne suis pas un écumeur des mers. Vous êtes transie de froid. Puis-je vous prêter un chandail ?

MARTINA NORTH. Je boirais plutôt... je vois que vous avez...

ERIC MAHONEY. De la bière importée du Danemark.

MARTINA NORTH (*voyant un coffret*). Et vous écoutiez du Zobrovika.

ERIC MAHONEY. Zimoviev. Mais qu'importe. Nous nous passionnons pour l'un, pour l'autre, quelquefois de manière identique.

MARTINA NORTH. Passion, oui, passion. Passion, j'oubliais. Jamais je n'aurais cru. Suis-je un terrain si propice ? Ou bien est-ce moi qui vous ai fait quelque chose, en ignorant que vous étiez un vampire et que je risquais de le payer cher ?

ERIC MAHONEY. Vous ne m'avez rien fait.

MARTINA NORTH. Vous m'avez peut-être fait lire un manuscrit que j'avais trouvé médiocre. J'en reçois à la tonne, et je ne suis pas quelqu'un qui gaspille de l'encens, je l'admets.

ERIC MAHONEY. Vous n'êtes pas si avare.

MARTINA NORTH. Alors quoi ? Je suis votre mère et je l'ignore ? Ces phénomènes sont de plus en plus à la mode.

ERIC MAHONEY. Vous, ma mère ?

MARTINA NORTH. Pourquoi portez-vous ma robe ?

ERIC MAHONEY. Elle m'appartient.

MARTINA NORTH. Ces statuettes africaines m'ont été données en cadeau par la seule personne que j'aie aimée. J'apprécierais que vous me les redonniez.

ERIC MAHONEY. Vous faites erreur. Un pharaon me les a offertes en échange de mon nom.

MARTINA NORTH. Aussi, j'aimerais beaucoup ravoir ma tasse de céramique bleue, vous me direz que c'est idiot, mais le café n'a pas le même goût depuis que je ne l'ai plus.

ERIC MAHONEY. Si je vous la donne, mon pharaon ne sera pas content.

MARTINA NORTH. Je n'avais pas l'intention de vous réclamer quoi que ce soit. Pourtant, s'il est un autre objet que j'aimerais bien ravoir, c'est mon album de photos.

ERIC MAHONEY. Ça, il me l'a interdit.

MARTINA NORTH. Je ne voudrais ravoir que les photos de Richard et de Katarina. Elles me manquent terriblement. On m'a volé mes parents, on m'a volé l'*Indiana*, on m'a volé ma tasse, on m'a tout volé. Il est insupportable de contempler ces photos la nuit dans mes rêves et de ne pas y avoir accès le jour.

S'il le faut je vous en procurerai des duplicatas, mais je vous en supplie...

ERIC MAHONEY. Écoutez, il est tard et je...

MARTINA NORTH. L'enfant qu'ils regardent, l'enfant vers qui ils agitent leurs petits drapeaux en guise d'au revoir, cette enfant-là, c'est moi.

ERIC MAHONEY. Je ne dis pas le contraire mais mon pharaon...

MARTINA NORTH. Je vous propose un marché. Vous me redonnez ma tasse et cette photo en échange de quoi je vous fiche la paix pour toujours.

ERIC MAHONEY. Vous avez intenté contre moi une poursuite de plus d'un million de dollars.

MARTINA NORTH. L'argent, l'argent...

ERIC MAHONEY. Et vous me dites que vous renoncez à cela en échange d'une tasse?

MARTINA NORTH. Et d'une photo.

ERIC MAHONEY. Il me semble que vous abandonnez bien vite, non?

MARTINA NORTH. Tout ce que j'abandonne, si vous saviez! Je sais que vos romans sont les siens, qu'il a tout écrit à votre place. Monsieur Caroubier est un écrivain qui a des choses à dire. Je l'ai assassiné il y a deux ans en me moquant d'un de ses romans et il ne me l'a jamais pardonné. Il a continué d'écrire, je comprends aujourd'hui qu'écrire était plus fort que lui. Et ce que je découvre en vous voyant, il me semble qu'au fond, je le sais depuis toujours. Qu'il aurait voulu me surprendre et que j'aurais d'abord joué le jeu, même si j'avais reconnu son style, ses abus, son goût pour les adjectifs. Et cette préférence qu'il a pour le subjonctif! Et puis l'évidence, comme une collision, de plein fouet. Quand j'ai reconnu mon travail à l'intérieur du sien, quand j'ai vu le passage de l'*Indiana* s'imprimer et s'ouvrir dans un roman conçu par lui, signé par vous, et acheté par tout le monde, cela a un peu, pour ne pas dire beaucoup, gâché le plaisir de ma lecture.

ERIC MAHONEY. C'est le roman d'un pharaon.

MARTINA NORTH. Et votre pharaon s'appelle Frank Caroubier.

ERIC MAHONEY. C'est le roman d'un pharaon, c'est tout ce que j'ai le droit de vous dire.

MARTINA NORTH. Il vous a manipulé, tout comme il a passé sa vie à me donner l'heure. Je sais que ni vous ni moi n'avons le droit de parler contre lui. Il est vrai que c'est un ami, d'abord et avant tout. Un être que la souffrance a fait basculer dans la frénésie mais l'amour est au-dessus de tout.

ERIC MAHONEY. Elle est repartie en me disant que l'amour était au-dessus de tout. Elle a oublié ses gants. Si vous la voyez, dites-lui... et puis non. Ne lui dites rien. Recevoir est une valeur exponentielle. Je ferai comme si c'était monsieur Caroubier qui me les avait donnés. N'empêche qu'elle est entrée chez moi. Je vous le jure. C'était elle, en chair et en os. Je sais que vous pensez que je suis fou, mais je vous jure sur la tête de ma mère que je l'ai vue, de mes propres yeux. Martina North existe, j'en ai la preuve. J'ai senti qu'elle était neutre, que des serpents à sa base avaient enfin réussi à se libérer d'elle-même. Quelle heure est-il ? Pourquoi monsieur Caroubier ne vient-il plus me voir ? Il m'a pourtant dit qu'il serait à l'heure.

DAWN GRISANTI. Il neige. Il a peut-être du mal à garer sa voiture. Mais moi je suis là.

Fin.

DU MÊME AUTEUR

THÉÂTRE

Rêve d'une nuit d'hôpital, Leméac, 1980.
Provincetown Playhouse, juillet 1919, j'avais 19 ans, Leméac, 1981.
Fêtes d'automne, Leméac, 1982.
La Société de Métis, Leméac, 1983.
Fragments d'une lettre d'adieu lus par des géologues, Leméac, 1986.
Les Reines, coédition Leméac/Actes Sud Papiers, 1991.
Je vous écris du Caire, Leméac, 1996.

ROMAN

Scènes d'enfants, Leméac, 1988.

Ouvrage réalisé
par Mégatexte à Montréal
Achevé d'imprimer
en avril 1996
par l'Imprimerie Darantiere
à Quetigny-Dijon
sur papier des
Papeteries de Jeand'heurs
pour le compte des éditions
ACTES SUD
Le Méjan
Place Nina-Berberova
13200 Arles

N° d'éditeur : 2192
Dépôt légal
1re édition : mai 1996